Gigant poleca: tom CXXXVIII (138)

Wydawnictwo: Egmont Polska sp. z o.o., ul. Dzielna 60
01-029 Warszawa, tel. 0-22 838-41-00, www.egmont.pl
Redaktor prowadzący: Artur Skura
Tłumaczenie: Jacek Drewnowski
Korekta: Iwona Krakowiak, Joanna Romaniuk
Produkcja: Cezary Wolski
DTP: Quad/Winkowski Sp. z o.o.
Druk: Nørhaven
Sprzedaż reklam: katarzyna.puchalska@egmont.pl, beata.michalak@egmont.pl.

ZŁODZIEJSKI POKER

Spis treści

WALT DISNEY

BRACIA BE

Nie ma jak w domu

I co z tego, że musimy nosić kamienie? Przynajmniej jesteśmy w formie.
A to nie takie łatwe na więziennej diecie.

To najtłustsze żarcie, jakie kiedykolwiek gotowano w niemytych garnkach.
Na początku trochę odrzuca. Ale jak już smak przywyknie... mniam!

A najlepsze są prycze. Miło się na nich wylegiwać.
176-167
Siedzieliśmy w mamrze tyle razy, że materace nabrały kształtu naszych pleców.

Tak! To jest życie.
No to szkoda, że musicie się z nim pożegnać.

Pan naczelnik?
Odsiedzieliście swoje. Zakład karny w Gawronkach musi was wypuścić.

Proszę za nami nie tęsknić. Prędzej czy później wrócimy.
Nic z tych rzeczy.

Pożegnajcie się ze starą celą, chłopcy. Miasta nie stać już na utrzymywanie tego więzienia.
Zaraz, zaraz! Chce pan powiedzieć...

Zgadza się - za parę tygodni będzie tu rozbiórka. Nic nie zostanie.
Ale co z nami?

Następnym razem zamkną was w supernowoczesnym więzieniu pod Gęsiowem.
Do licha!

Niestety, tamtejszy naczelnik ma postępowe spojrzenie na resocjalizację.

Żadnych przymusowych prac. Wzorowa higiena w kuchni. Wykwintne dania.
Rety!

To jeszcze nic. Co powiecie na obowiązkową terapię grupową, by wniknąć we wrażliwość osadzonych?

O czym on mówi?
A ja nie mam żadnej wrażliwości.
Nie chcę, żeby ktoś we mnie wnikał.

Niech licho porwie tego naczelnika. Kto tak prowadzi więzienie?
Wszystkim nam jest ciężko. Chodźcie, przytulmy się.

Chlip!
Szloch!
NIE MA JAK DOMU
Buuu!

Żegnajcie, Bracia Be. To była wspaniała znajomość, ale wszystko się kończy.
Trudno uwierzyć, że już nigdy nie zobaczymy naszej przytulnej celi.

Patrzcie! Skarbiec Sknerusa. Zrobiliśmy karierę, próbując go okraść. To nasz sposób na życie.
Ale teraz nie możemy nawet o tym myśleć. Jeśli nas przyłapią, pójdziemy prosto do tego nowego więzienia.

To co robimy?
Skupimy się na drobnych, łatwych robótkach.

Masz rację. Jeśli nas nie złapią, wszystko będzie cacy.
Damy sobie radę.

Tej nocy...
Dokładnie zaplanowałem ten skok. Następny radiowóz przejedzie tędy najwcześniej za 20 minut.
To masa czasu.
JUBILER M. ILION

Jak idzie, braciszku?
Łatwizna. Raz-dwa wejdziemy do środka.

Widzicie te świecidełka?
Cicho, panowie. Mamy robotę.

Czas ucieka. Otwórz wreszcie ten sejf i zmywajmy się stąd.

Rety! W życiu nie widziałem tyle lodu.
Te kamyki muszą być warte miliony.
176-167

Jak opchniemy te cudeńka, będziemy mieli życie jak w Madrycie.

Jeszcze nigdy nie miałem w rękach takiego wielkiego brylantu.

Trochę się denerwuję. Jeśli nas złapią na tym skoku, to zawiozą nas do...
Ooojć!

TRZASK

EEEOOOEEEOOO
Alarm! W nogi, chłopaki!
Racja! Gliniarze będą tu lada chwila.

Te kamienie mnie spowalniają.
Wyrzuć je. Nie możemy pozwolić, żeby nas dopadli.

Później...
W tej rezydencji mieszka kolekcjoner sztuki. Ma obrazy i rzeźby warte setki tysięcy.
No to na co czekamy?

Jejku! Strasznie tu ciemno.
I niech tak zostanie.

Nie chcemy obudzić mieszkańców.
W żadnym razie.

Zabierajcie płótna, chłopcy, i dajemy dyla.

Hej! Kto tu jest? Słyszę was!
Do licha!

Pożałujecie,
że próbowaliście mnie
okraść. Mam broń.
Och! Wiejemy!

Auuuć!

Śmieszne. W życiu nie widziałem
tak nieudolnych złodziei.

Wynoście się, dranie!
GRUCH

Trafił mnie?
Jestem ranny?
Cicho bądź i uciekaj.
Przyjechali gliniarze.

Jeszcze później...
Może spróbujemy tutaj? Zdaje się, że firma nieźle prosperuje.
Złomowisko?

A czemu by nie? Kilkaset dolarów zawsze można zarobić.

W budce jest ciemno i pusto. Nikt nie został na noc.
I to mi się podoba.

Zdaje się, że burczy mi w brzuchu.
To nie twój brzuch, półgłówku.
WRRR

Rety! Psy stróżujące!
Zostawcie to mnie. Znam sposób myślenia tych kundli.

Dobre pieski. Będziecie mnie słuchać, prawda? No to siad. Siad! Siad!
Nie siadają.
176-167

Hau! Hau! Hau!
Aaach!

Wiejemy, chłopaki! Z powrotem przez płot!
Nie musisz mi tego powtarzać.
Wrrraaau!

Jauć! Zdaje się, że jeden mnie dziabnął.
Mnie też.
176-761

Szybko! Gliny zjawią się, zanim się zorientujemy.
Czy komuś jeszcze wieje, czy tylko mi?

To szaleństwo. Za bardzo pękamy, żeby żyć z kradzieży.
A jesteśmy zupełnie spłukani.

Myślicie o tym, co ja?
Przejdźmy się. Zaczerpnijmy świeżego powietrza.
6671
17667

Brrr! Biorą się za rozbiórkę naszego ulubionego więzienia. Pozostaje nam tylko jedno.
Wizyta u rodziny.
P
7

Zapomniałem, jaka to długa podróż.
Minęło sporo czasu, odkąd wybraliśmy się tam ostatni raz.

Ech! Ze stacji trzeba iść kawał drogi.
Racja. Mam całe stopy w bąblach.
176-761
176-167
176-671

Jest!
O rany! Czuję się, jakbym nigdy stąd nie wyjeżdżał.
Oho! Idą kuzyni.

Dawno się nie widzieliśmy, chłopaki.
Nie umieliście żyć gdzie indziej, co, kuzyni?
Brakowało wam domowej kuchni?

Właściwie musimy z wami pogadać. Wiecie, o kim.

Proszę, proszę. Kogo to przyniosło.

Chłopcy!
Babcia Be!

A to ci dopiero! Nic się nie zmieniliście.
Naprawdę? A ty jesteś niższa i trochę bardziej pomarszczona.
176-167

Młotku! Jak ty się odzywasz do kochanej babci?
PRASK

P-przepraszam, babciu. Chciałem powiedzieć, że wyglądasz jak świeża róża.
Teraz lepiej.

Co was sprowadza aż z Kaczogrodu?
Mamy poważny kłopot.
176-761

Chcą rozebrać więzienie w Gawronkach.
Po następnym aresztowaniu wyślą nas do mamra pod Gęsiowem.
Ta perspektywa tak nas denerwuje, że aż nie możemy kraść.
176-761

Ekhem... Może będziemy musieli zacząć żyć uczciwie.
Uczciwie?
BRZĘK

Wielkie nieba! Brak mi tchu. Moje serce!

Babciu? Co ci jest?
Dobrze się czujesz?

W najgorszych koszmarach mi się nie śniło, że w mojej rodzinie ktoś powie takie słowa.

Nie przynoście mi wstydu.
Jesteście Braćmi Be.
176-167
176-761

Chodźcie. Chcę
wam coś pokazać.

Oto i on. Patriarcha
naszej rodziny.

Pradziadek Be.
Spójrzcie w te oczy.

Trochę kaprawe, nie?
I straszne.
Jakby mogły wejrzeć
prosto w nasze dusze.
176-
176
76-167

Jak myślicie, co on by powiedział
o uczciwym życiu?
Ojć! Nie byłby
zachwycony.

Zgadza się. Bracia Be rodzą się, żeby kraść i rabować. Albo siedzieć w więzieniu, jeśli ich złapią.
Ale to już nie dla nas.
176-167

Nie pyskuj! Powiem wam, co macie zrobić, żeby wszystko było dobrze.
Au!

Musicie zdecydować, czego naprawdę chcecie, a potem to spełnić.
176-761

A teraz wracajcie do wielkiego miasta. Chcę być z was dumna.

To czego naprawdę chcemy?
Tego, co zawsze. Chcemy obrobić skarbiec Sknerusa albo wrócić do kochanej celi. Mam pewien pomysł.

Na początek,
zapomnijmy o uczciwym życiu.
To nie w naszym stylu.
Zgoda.
Ale co nam pozostaje?
POD ZŁAMANYM DZIOBEM
OTWARTE

Nie możemy dalej próbować jakichś drobnych robótek.
Nic nam nie wychodzi.

I dlatego musimy pójść na całość.
Ojej! Skarbiec McKwacza?

Pomyśl. Ile razy próbowaliśmy obrobić starego centusia?
Dziesiątki. I nigdy nie wyszło.

Fakt. Ale za każdym razem dowiadywaliśmy się czegoś o skarbcu i jego wadach.
Zaczynam rozumieć.
176

Znamy już słabe i mocne strony systemów zabezpieczeń.
Wystarczy poskładać tę wiedzę do kupy.
176-167

Musimy w końcu zwinąć fortunę centusia i zniknąć w mroku nocy jak złodzieje.
Hmm!

Ten skok przejdzie do historii... a my będziemy ustawieni do końca życia.

Che,
che, che!

Chi, chi! Tej nocy
całkiem nieźle zarobię.

PUK PUK

Z czym przyłazisz
o tej porze?
Z informacją.

No proszę.
Jednak możesz
się na coś przydać.

Bierz swoje trzydzieści dolców i znikaj.
Resztą zajmę się ja.

No dobra. Ciężarówka, którą zwinęliśmy, stoi w idealnym miejscu.
Możemy ją szybko wypełnić forsą McKwacza, jak tylko zrobimy dużą dziurę w skarbcu.
176-167
176-761

Ostrożnie z tym workiem. Są w nim materiały wybuchowe i cały potrzebny sprzęt.
Spokojnie. Nie bądź takim bojącym dudkiem.
176-167
176-761

To musi być główny kanał odpływowy.
Super. Podaj mi palnik.
176

Ha! Przecina tę kratę jak masło.

Jesteśmy w podziemiach skarbca. Łatwo poszło.
Kaszka z mleczkiem.

Od paru tygodni nie czułem się taki pewny siebie.
O raju! Zaraz przejdziemy obok gabinetu starego centusia.

Słyszycie? Uciął sobie popołudniową drzemkę. Zgodnie z rozkładem.
Chrrr!

Biedaczek. Wszystko mu ukradniemy, a on nic o tym nie wie.
Nie chwalcie dnia przed zachodem słońca.

Korytarz jest pełen pułapek z czujnikami wagi.
Wcześniej się w nie łapaliśmy.

Ale nie tym razem.
Nie ma mowy.
176-167

Jupiii! Kiedy wnyki się zamykają, my jesteśmy już dalej.
Bardzo fajne te zabawki.
176-761
PTIONG

No i się udało.
PTIONG

Jeszcze się nie ciesz. Przed nami kolejna przeszkoda.
Groźniejsza od wszystkich pułapek.

Idzie! Krokodyl Duduś. Ostatnia linia obrony Sknerusa.
Kto zdołałby przejść obok tego monstrum?
My.
176-761

No, gadzino! Masz tu parę przysmaków.
To działa! Smakołyki zwróciły jego uwagę.

Szybko, dopóki zajmuje się czym innym.
?
Trzeba go przewrócić na plecy.
Hyyyp! Ciężka bestia.
176-671

Właśnie tak! Drap go po brzuchu. Krokodyle to uwielbiają.
Mrrrrrr!

Ojej! Zupełnie jak zahipnotyzowany.

Ten wielki gad jest w siódmym niebie.
A my jesteśmy u progu zwycię-stwa, chłopaki.

To tutaj! Sejf!
Chi, chi, chi! Zrobimy ze Sknerusa ostatniego frajera.

Oj!
Aj!
Nie do wiary!

To zasadzka!
Ha! Myśleliście, że mnie przechytrzycie? No i kto kogo wyrolował? Nabraliście się nawet na nagrane chrapanie.
176-671
176-76

Phi! Pewnie jakiś kapuś na nas doniósł.
Proszę ich zabrać, komisarzu. Prosto do starego dobrego więzienia w Gawronkach.

Pomyłka. Chcą rozebrać to więzienie.
Miasta nie stać na jego utrzymanie.
176-167

Cooo?
Dobrze słyszałeś. Będziemy siedzieć pod Gęsiowem. Mają tam bardzo postępowy zakład.

Postępowy?
Właśnie. Żadnych przymusowych prac. Czysta kuchnia i wykwintne dania.

Piękna, słoneczna świetlica.
Z telewizją kablową oraz płatnymi kanałami filmowymi i sportowymi.

Będziemy nawet mieli terapię grupową, żebyśmy stali się lepsi.
???

Skandal! To kolonie letnie, a nie więzienie! Takie łotry jak wy zasługują na coś o wiele gorszego.

Muszę zamienić parę słów z burmistrzem.
RATUSZ

Hę? Sknerus McKwacz? Co ma znaczyć to najście?
Bracia Be!

Nie chcę, żeby żyli sobie wygodnie w nowym więzieniu. Żądam ponownego otwarcia Gawronek.
Obawiam się, że to niemożliwe. Miastu nie starczy funduszy.

Phi! Jeśli chodzi tylko o fundusze, ja je zapewnię. Przyjmie pan czek?
A, to inna sprawa. Oczywiście.

Grrr! Warto się szarpnąć, żeby ci recydywiści dostali to, na co zasługują.

Nasz plan powiódł się doskonale, chłopaki.
Nie mieliśmy szans na obrobienie skarbca Sknerusa. Ale przynajmniej nakłoniliśmy starego centusia, żeby ocalił naszą starą, przytulną celę.
NIE MA JAK W DOMU
176
176-761
Tak, tak... Miło wrócić tam, gdzie nasze miejsce.

KONIEC

Zagubiony tydzień
PONIEDZIAŁEK
WTOREK
SIERPIEŃ
ŚRODA
SIERPIEŃ
CZWARTEK
SIERPIEŃ
PIĄTEK
SIERPIEŃ
SOBOTA
SIERPIEŃ
NIEDZIELA
Lato, lato wszędzie. Ale nie wszyscy mają wakacje...
Zagadka złodzieja lodów rozwiązana.
Na szczęście udało ci się go rozbroić.
WALT DISNEY
MYSZKA MIKI

Trochę mnie oszołomił tym swoim ultrafonem.
Sprawy przybrały niebez-pieczny obrót... Chi, chi!

Teraz mogę spokojnie jechać na urlop.

Goofy wyjechał dziś na dziesięć dni w góry. A Minnie wróci dopiero za dwa tygodnie.
POLICJA
MYSZKA MIKI
WRRRUM

W ten piękny sierpniowy piątek podajemy wiadomości...
Czeka mnie słodkie (i nudne) nieróbstwo.
TRRR

Mógłbym pogawędzić z nowym sąsiadem, ale nigdy go nie ma. Przez dwa miesiące go nie widziałem.

O! A jednak jest. Wydaje się miły.
Ram- -pam- -pam!

Dzień dobry.
Dzień do... ooo!

Czarny Piotruś? Mieszkasz obok mnie?
Phi! Nie wiedziałeś, że zmieniłem swoje życie?

Jestem uczciwym obywatelem. Jeżdżę po świecie i... dobrze zarabiam.
Cieszę się.

Ale jeszcze nie zakolegowałem się z nikim w tej dzielnicy.

Ech! Cały weekend będę samotnie oglądał telewizję.

Gdybym tak miał
z kim chodzić
na spacery...
Ja też
się nudzę,
Piotrusiu...

Może
skoczymy razem
na weekend
nad jezioro?
Na ryby...
i na grzyby...

I tak...
Wędki,
przynęta i śpiwór.
Che, che!
Kalosze, namiot
i... atlas grzybów.
Alcatraz
113

Mój przyjaciel
Miki na biwak
mnie wiezie...
Wygląda na to,
że Piotruś naprawdę
się zmienił. Uczciwa
praca dobrze
mu zrobiła.
JEZIORO
113

A zatem Miki i Piotruś spędzają razem miły weekend...
Ojć! Przepraszam, Miki.
Czas płynie...
Mniam! Upichciłeś wyśmienite grzyby.
Fakt... Ziew!
...aż nadchodzi niedzielny wieczór.
Muszę wracać. Jutro wyjeżdżam do Timbuktu.
Naprawdę już tak późno?
Tak. Spójrz na mój zegarek.
PIK PIK
Och!
Dzięki, przyjacielu. Świetnie się bawiłem.
Ja też. Ale tak się zmęczyłem, że będę spał całe wieki.

Rzeczywiście, następnego dnia Miki budzi się bardzo późno...
Ziew! Kto tak trąbi bladym świtem... Hę? Już druga?

Cześć, Miki! Chciałem cię uprzedzić, że wróciłem.
Ale... chyba miało cię nie być 10 dni?
MYSZKA MIKI

Wróciłem w niedzielę czternastego. Teraz odwdzięczam się wujowi za gościnę.
Co takiego? Niedzieli czternastego jeszcze nie było i...

A psik!

Przeziębiłeś się?
A psik!

Powinieneś wezwać lekarza.
?
Jupi!

Goofy się pomylił. Wyjechał w piątek piątego. Wczoraj była niedziela siódmego i...

...dziś
15 sierpnia,
podajemy
wiadomości.
Ojej!
PROGRAM
TV

Nawet telewizja
się myli. Dzisiaj
jest na pewno...
Jest 15
sierpnia. Od
Trzebiemira
dla Armidy
z okazji
imienin...

Poproszę
gazetę,
szybko!
Hę?

Nie... nie...
PONIEDZIAŁEK
15 SIERPNIA

...to niemożliwe!
A... a... a psik!

Cały
tydzień
zniknął!
Naprawdę?
A gdzie
o tym piszą?
TRZASK

Spokojnie.
Najprostsze
wyjaśnienie jest
takie, że spałem
przez siedem
dni z rzędu.

Może te owoce lasu miały w sobie jakąś substancję nasenną? Zobaczymy, czy Piotruś odczuwa takie same efekty.

No tak. Miał wyjechać siedem dni temu.
WYJECHAŁEM DO TIMBUKTU

Nie czuję się najlepiej. Posłucham rady Goofy'ego i pójdę do...
A-psik!

...lekarza. Bardzo dziwne to przeziębienie.
Smark!

I tak...
To nie jest przeziębienie. Ma pan alergię pokarmową.
Hę?

Na pewno? Jedyna potrawa, na jaką jestem uczulony, to...
...małże z cynamonem. Ma pan to wpisane w karcie.

Przed laty kolega przywiózł mi je z podróży. Potem kichałem przez trzy dni.
Jasna sprawa. W weekend za bardzo się pan opychał.

GODZINY PRZYJĘĆ
Po dwie tabletki przed posiłkiem, w trakcie jedzenia i po nim. Następny proszę.
Chrrr!

Nie rozumiem. Jak mogłem jeść małże, kiedy spałem? I po co je jadłem, skoro ich nie cierpię?

Wtem...
Taksówka, kolego?
Hę?
TAXI
TAXI
MZ-71

Do wozu, ja!
Weźmiemy cię na przejażdżkę.
MZ-71

TA
Gadaj! Gdzie ją schowałeś, ja?
A-ale o czym mowa? To jakaś pomyłka!
My nigdy się nie mylimy. No, gadaj!
Aaa...
T
...A psik!
Błeee...
GRUCH
Auć!
TAXI
PIIISK
Grrr! Prędzej czy później cię dopadniemy, ja!
Birben-zumpf!
„Birben-zumpf"?
TAXI

Uff! Puff! Kroi się kiepski dzień.

Ci dwaj ewidentnie wzięli mnie za kogoś innego.

Ale to jeszcze nie koniec niespo-dzianek...
Ojć! W ogrodzie kręci się jakiś cień.

Mam nadzieję, że to nie są znowu ci dwaj.

Aaaaaa!

Piotruś? Nie pojechałeś do Timbuktu?
Miałem wyjechać, ale zadzwonili do mnie wściekli. Spodziewali się mnie... w zeszły poniedziałek.
Miki, to niesamowite! Z życiorysu uciekł mi cały tydzień.
Rety! Tobie też?
Nie sposób tego wytłumaczyć...
Zupełnie jakby dla nas dwóch zeszłego tygodnia w ogóle nie było.
Ale mój katar wskazujena to, że jadłem małże góra dwa dni temu.
GRZYBY
SMARK
MYKOLOGIA
O GRZYBACH
Małże z cynamonem to danie rzadkie... i kosztowne.
To prawda. Poddałeś mi pewien pomysł.
Z cynamonem, mówi pan? Na pewno nie u nas. To danie typowe dla Apetycji Wschodniej.
RESTAURACJA

To mały kraj w Europie.
Ci dwaj, którzy chcieli mnie porwać, mieli cudzoziemski akcent. A może...

Do kogo dzwonisz?
Do ambasady Apetycji. Chcę coś sprawdzić.

Dzień dobry. Jeśli powiem „birbenzumpf", co mi pan odpowie?
AMBASADA APETYCJI

Ojć! Bardzo się wkurzył.
Grrr!
Hura! Ci dwaj pochodzili z Apetycji.

?
Wskazówki prowadzą w jednym kierunku. Klucze do tajemnicy...

...znajdują się w Apetycji Wschodniej.
APETYCJA WSCHODNIA

A zatem...
Dwie republiki apetycjańskie od lat rywalizują na niwie kulinarnej.
O ile się nie mylę, kiedyś był tylko jeden kraj.
Tak. Ale nastąpił konflikt w kwestii...
...sosu narodowego i kraj się podzielił. Zwolennicy majonezu znaleźli się na wschodzie, a keczupu – na zachodzie.
APETYCJA WSCHODNIA
APETYCJA ZACHODNIA

Posągi dwóch kucharzy, które kiedyś stały razem, zostały rozdzielone i postawione naprzeciwko siebie.
„Od tamtej pory dwa kraje rywalizują o gastronomiczny prymat za pomocą wykwintnych przepisów".
URZĄD CELNY
A wszystko to przez jeden sos?

Nie żaden dżemik, nie żaden miód, tylko majonez to istny cud!
TUP TUP
Niech żyje keczup pomidorowy! Smaczny, pożywny i bardzo zdrowy!
APETYCJA ZACHODNIA

BAR MLECZNY
JADŁO-DAJNIA
ŁUP ŁUP
Tutaj gastronomia jest wszystkim.

Niuch! Czujesz te zapachy?
Oczywiś...
Używa pan bazylii?

Hej! Czemu chcesz wiedzieć? Jesteś zachodnim szpiegiem?
A skąd! Co za pomysł!

Musimy znaleźć restaurację, która podaje małże z cynamonem.
RESTAURACJA
SPECJALNOŚĆ ZAKŁADU: MAŁŻE Z CYNAMONEM
Już znaleźliśmy.

Mniam!
Jakie frykasy!
Jeden lepszy
od drugiego.
A jakie ceny!
Chyba zamówię tylko
szklankę wody...
MENU
300$
500$
1000$

!
Hę?
MENU

Pssst...
pssst...
Ekhem...
Mam dziwne
przeczucie...

Lepiej się rozdzielić
i skierować
do wyjścia.
?

To znowu pan? Ma pan
jeszcze niezapłacony
rachunek za poprzedni raz.
A-ale...

Pokaż pan.
SIUP

Czyli to tutaj jadłem małże z cynamonem. I uciekłem bez płacenia.
Birben-zumpf!
SPECJALNOŚĆ ZAKŁADU: MAŁŻE Z CYNAMONEM

Takie coś nie jest w moim stylu.

Widziałem go w tej restauracji, mówię ci.
Ojej! Znowu ci dwaj wąsale.

Lepiej wmieszać się w tłum. Będę bezpieczniejszy...

Jauć!

A, to pan? Bardzo się pan spieszy.
Hę?

Che, che! Lubi się pan bawić, nie?
?!

Niech pan zobaczy. Zdejmuję but i...
?

...proszę. Nie zapomnij o mnieee!
Jauć!

Uwielbiam tatuaże.
A-ale co to ma znaczyć...
ŁEEE
ŁEEE

Idealnie pana naśladowałem. Dwieście dolarów się należy.
Żartuje pan?

Sam pan wymyślił tę zabawę. Dawaj pan forsę albo wzywam policję.
N-no dobrze.

Lepiej nie rzucać się w oczy. Wygląda na to, że w zeszłym tygodniu narobiłem masę głupstw.
Majonez, majonez...
Uwielbiam tatuaże.
ŁEEE
Czemu miałbym powiedzieć coś podobnego?
PRAWDA I MAJONEZ

Do licha! To może być wskazówka.
D. ZIARA TATUAŻE (PRAWDZIWE I ZMYWALNE)

Miki, mówi Piotruś. Gdzie jesteś?
Idę do studia tatuażu. Tam się spotkamy.
TATUAŻE D. ZIARA

Ech! To nie miejsce dla mnie.

O! Widzę, że zmienił pan zdanie.
Och!
FRUSZ

No, dalej! Proszę zdjąć but.
A-ale... co to ma być? Jakiś sport narodowy?

To nie przyszedł pan na usunięcie tatuażu?
Hm, ja nie mam tatuaży.

Nie? Proszę spojrzeć na spód swojej lewej stopy.
Hę?
ZIUT

Nie do wiary! A co przedstawia ten rysunek?

Skopiowałem go z kartki, którą pan przyniósł, a potem zniszczył. Nie pamięta pan?
Hmm... Wygląda na strukturę jakiejś cząsteczki chemicznej.

Skończył mi się zmywacz. Skoczę do magazynu.
Całe szczęście. To zmywalny tatuaż.

Ale to jakaś formuła. Może to jej szukali ci dwaj z wąsami.
Miki!

Piotruś! Nie uwierzysz. Mam jakąś formułę wytatuowaną na stopie.
S-serio? Pokaż.

Hmm... Genialne miejsce, żeby ją ukryć.
W-wiesz coś, czego ja nie wiem?

O, ja wiem bardzo wiele, przyjacielu. Cha, cha!
Ojej! Co to znaczy?

Oszukałem cię. Jestem szpiegiem. Obecnie płaci mi Apetycja Wschodnia.
Ty... szpiegiem? Nie rozśmieszaj mnie.
Śmiej się, śmiej. Widzisz, co mam na ręce? To mnemomanipulator, który kiedyś ukradłem z laboratorium.
Urządzenie pozwala oddziaływać na czyjąś pamięć i manipulować nią według uznania.
„Po wybraniu celu badam jego osobowość i nawyki".
Hmm...
„Ale tym razem do planu, który wymyśliłem, potrzebowałem kogoś szczególnego".
Hmm... Gdzie mam znaleźć kogoś tak małego, żeby zmieścił się w tym tunelu?
No jasne!

„Dlatego przeprowadziłem się do sąsiedniego domu. Chciałem uważnie cię obserwować i w odpowiedniej chwili wkroczyć do akcji”.
DOSSIER
KARTA ZDROWIA
Hmm...
Dzień dobry.
Grrr! No i dochodzimy do brakującego tygodnia.
Cha, cha! Był niedzielny wieczór, pamiętasz?
„Kiedy w pewnej chwili spytałeś mnie o godzinę...”
Naprawdę już tak późno?
Tak. Spójrz na mój zegarek.
„... szybko zablokowałem ci pamięć”.
BHIP
Och!
„Dałem ci nowe wspomnienia...”.
M-mówisz, że kim jestem?
Agencie X, dobrze się czujesz?
Właśnie cię uratowałem przed agentami Apetycji Zachodniej.
A to dranie!

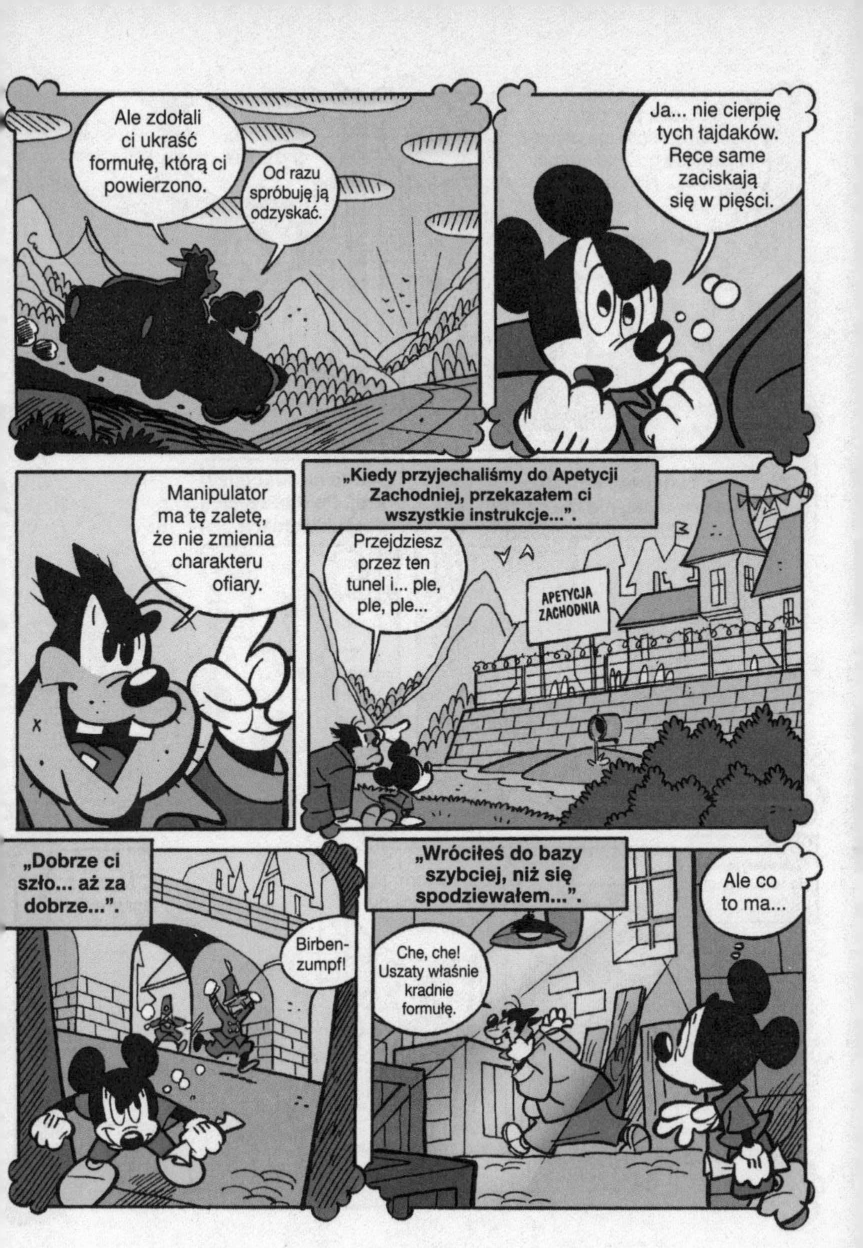
Ale zdołali ci ukraść formułę, którą ci powierzono.
Od razu spróbuję ją odzyskać.
Ja... nie cierpię tych łajdaków. Ręce same zaciskają się w pięści.
Manipulator ma tę zaletę, że nie zmienia charakteru ofiary.
„Kiedy przyjechaliśmy do Apetycji Zachodniej, przekazałem ci wszystkie instrukcje...".
Przejdziesz przez ten tunel i... ple, ple, ple...
APETYCJA ZACHODNIA
„Dobrze ci szło... aż za dobrze...".
Birbenzumpf!
„Wróciłeś do bazy szybciej, niż się spodziewałem...".
Che, che! Uszaty właśnie kradnie formułę.
Ale co to ma...

...ple, ple, ple... Później odbiorę mu pamięć i zawiozę go z powrotem do domu. Nic nie będzie pamiętał.
Ojej!
Grrr! Dokąd to, gryzoniu?
Już wszystko jest dla mnie jasne, Piotrusiu.
„Zgubiłem twój trop. Potrafisz dać mi się we znaki, nie ma co”.
„Ale to nie jest duży kraj. Po dłuższych poszukiwaniach...”
„...schwytałem cię w pułapkę”.
Daj mi formułę i... zapomnijmy o sprawie.
Masz, tani draniu.

„Po powrocie do domu
odblokowałem ci pamięć.
Minął tydzień”.
...będę spał całe wieki. Ziew!
Ale formuła, którą ci dałem, była... błędna.
„Tak. Kiedy moi... ekhem... klienci to zauważyli, wpadli w szał”.
Ech! Miki mi za to zapłaci.
Birbenzumpf! Grrr! #@#!
„Byłem pewien, że jej nie zniszczyłeś. Musiałeś ją ukryć podczas ucieczki, w Apetycji”.
„Postanowiłem tu wrócić i wesprzeć twoje dochodzenie”.
Z życiorysu uciekł mi cały tydzień.
Rety! Tobie też?
À propos... Pomysł z małżami z cynamonem był genialny.
Hę?

„W restauracji zamówiłeś małże. Wiedziałem o tobie wszystko, więc ci je odradziłem...”.
Dostaniesz od nich przeziębienia, agencie X.
Naprawdę?
MENU
Ech! Teraz rozumiem, dlaczego zrobiłem tyle dziwnych rzeczy.
„W obcym kraju... nie wiem, kim jestem ani skąd pochodzę... za to wiem, że ukradłem jakąś formułę i ściga mnie pewien typ”.
„Wiem jeszcze jedno: że mój umysł nic nie zapamięta z tego tygodnia”.
TATUAŻE D. ZIARA
?!
„Coś mi przychodzi do głowy. Każę sobie wytatuować prawdziwą formułę na stopie i przygotuję drugą, błędną”.
„Potem muszę jeszcze zostawić jakieś ślady”.
Tak, zawsze tu gram.
Nauczę pana pewnej zabawy.

„Idę do luksusowej restauracji. Nie zamierzam płacić, żeby właściciel mnie nie zapomniał”.
SPECJALNOŚĆ ZAKŁADU: MAŁŻE Z CYNAMONEM
„Ale to jeszcze za mało. Muszę jakoś zapamiętać, że byłem w Apetycji”.
Alergia! Mój umysł zapomni, ale żołądek – nie!
„Dlatego objadam się małżami z cynamonem...”
Poproszę jeszcze dwie porcje.
„...i uciekam”.
RESTAURACJA
Birben-zumpf!
Wierzę, że przeziębienie, które mnie złapie, przyprowadzi mnie z powrotem tutaj.
Ech! Świetnie.
Tylko teraz... nogi do góry! Muszę sfotografować formułę.

Jestem! Nareszcie znalazłem zmywacz... Ojć!
Uch!
Dawaj pan!

O nie! Znowu zaczynasz?

Taksówka, kolego?
PIIISK

Ech! To znowu wy? C-coście za jedni?
Tajni agenci Apetycji Zachodniej.

Masz formułę, która należy do nas. Gdzie ona jest?
Wytatuowałem ją sobie na lewej stopie. Czemu jest taka ważna?

Zapewne zawiera tajemnicę najlepszego sosu.
Ale... czy to nie wy go wymyśliliście?
CENTRUM
GRANICA
Nie. Powstał w czasach, gdy Apetycja była zjednoczona.
TAXI
WRRRUM
Od tamtej pory tak często kradniemy sobie nawzajem formułę...
...że nikt nie zdążył jej jeszcze zbadać.
TAX
Teraz Apetycja Zachodnia będzie chronić tę tajemnicę.
TRACH
WRRRUM
Przepraszam, ale się nie zgadzam.
Uuuch!
CHLUST
ŁUBU-DU
Ale... to chyba weszło mu w krew.

Straże! Zatrzymać tego gryzonia. To szpieg nieprzyjaciela!
APETYCJA ZACHODNIA
Ojć! Znalazłem się między dwoma... kucharzami.

Stać! Jeszcze jeden krok i pożegnacie się z formułą.

Zamiast walczyć, czemu nie połączycie się znowu w wielką potęgę kulinarną?

Nic z tego... jeśli oni nie ulegną potędze majonezu.
Ojej!

Nie ma mowy... jeśli raz na zawsze nie uznają wyższości keczupu.

Hmm... hmm... Zaczynam coś podejrzewać...
Natychmiast przyślijcie tu chemików i kucharzy z opozycyjnych frakcji. Byle szybko!
zatem...
Niesamowite!
Nie do wiary!
Zawiadomić prezydenta!
PAC
PAC
Moim zdaniem sprawa jest oczywista.
Apetycji hodniej...
Jak to? Tworzycie najlepszy sos... na publicznym placu?
Raczej na publicznym moście, panie prezydencie.
Niech pan spróbuje, ekscelencjo. To lepsze od keczupu.
Wierzyć się nie chce.
W Apetycji Zachodniej...

Test organoleptyczny potwierdza, że sos jest pyszny.
Fakty- cznie!
Tak. A chcecie wiedzieć, jak się nazywa?

Sos różowy otrzymywany przez zmieszanie keczupu z majonezem. Nic wam to nie mówi?
SOS
SOS RÓŻOWY

Dwa smaki się równoważą, a po zmieszaniu są jeszcze lepsze.
Chyba rozumiem.
Ja też.

To chwila wielkiej radości. Po latach konfliktów Apetycja Wschodnia i Zachodnia znowu się jednoczą.
DZYŃ
Hura!

Jak możemy się wam odwdzięczyć?
Znajdźcie jakąś pracę mojemu koledze.

Grrr! Beze mnie będziesz się nudził, Miki.
KARTOFLE

Miki wraca do domu. W prezencie dostał miejscowe przysmaki...
Stać! Trzeba zapłacić cło za importowaną żywność.
URZĄD CELNY

Ekhem... Zapłacę tymi małżami. Reszty nie trzeba. Che, che!
Mniam!

Szkoda tylko, że straciłem wspomnienia z całego tygodnia.

Czyżbym znowu narobił bigosu?

Miki, już wróciłam! Też byłeś na wakacjach?
No... Mniej więcej. Ale wejdź...

Muszę ci opowiedzieć niesamowitą historię.

DIN DON
Ktoś dzwoni do drzwi. Minnie, możesz zobaczyć, kto to?

Miki! Co to za Ingrid z Apetycji?
C-co takiego?

Nareszcie cię znalazłam! Czemu uciekłeś? Obiecałeś, że się ze mną ożenisz.
Powiedz coś, ale już!
Ja... eee... tego... Birbenzumpf!
KONIEC

SUPERKWĘK
WALT DISNEY
Powrót Analogowego Rycerza

Nasz dzisiejszy temat to potężne burze słoneczne. Naszym gościem jest profesor Jonasz Solari.
J-2872-2

Profesorze, czy nasza planeta także odczuwa skutki tych zjawisk?

Oczywiście. Wpływ Słońca może zakłócać działanie urządzeń elektronicznych.
TVK 5
5

Możemy doświadczyć efektów takiej burzy już w najbliższych dniach...
Kwa! Co się dzieje?
BZZZ
BZZZ

Czyżby ta burza
słoneczna już się
zaczęła?

Spokojnie. Zabraliśmy tylko starą budkę
telefoniczną, która trafi do Muzeum
Nauki i Techniki w Kaczogrodzie.

Podczas jej podnoszenia uszkodziliśmy
pańską antenę. Ma pan pecha.
Kwa!

Grrr! Wiem.
Wszyscy mi
to mówią.

Jau!
BACH

Po jakimś czasie...
Czemu akurat wystawa budek telefonicznych, profesorze Steampunk?
Też pytanie, Donaldzie.

Dzisiaj budki już znikają, wypierane przez komórki.

Ech! Trzeba je zachować, bo inaczej zostaną zapomniane w tym cyfrowym szaleństwie.

„Kto wie, ile miłosnych historii rozegrało się w tych romantycznych zakątkach...".
Grrr! I kto wie, jak długo to potrwa.

„Żegnajcie, przebieralnie dla superbohaterów".
Ech! Czemu dziewczyny z Rewelacyjnej Piątki przebierają się tak długo?

Hej, profesorze!
Hę?

Przepraszam, Donaldzie. Na chwilę zawładnęły mną wspomnienia.

Ekhem... Już pora zamykać. Niestety, na otwarciu frekwencja nie dopisała.
Masz rację.

Przykro mi. Pewnie telefony na żetony już nikogo nie interesują.
Ech! To prawda. Chociaż zupełnie tego nie rozumiem.

Zostaw mnie już z tymi gratami. Tylko tutaj mogę jeszcze usłyszeć, jak dzwoni telefon z tarczą.

Tego wieczoru...
Otwarcie wystawy okazało się zupełną klapą. Era budek już się skończyła. Dzisiaj świat należy do telefonii komórkowej.
Skoro mowa o nowych technologiach... jutro premiera Ajajfona.

To komórka nowej generacji. Wybieram się na prezentację.

Ale niektórzy ciągle cenią klasyczną technikę. Tutaj zamontowali lampy gazowe zamiast elektrycznych.
Jaka romantyczna atmosfera!

Dobranoc, Donaldzie.
CMOK
DAISY

Zieeew! Nie mogę się doczekać, kiedy się położę.

Hmm... Zrobiło się późno.
PSTRYK

Ziew!

?

!?
!?

AAAAAAAAA

Kwa! Pozytronowy ekspres do kawy z wielokanałowym gwizdkiem zniknął.

Gdzie się podział mój trójwymiarowy telewizor plazmowy?

Ech! Nie ma nawet cyfrowego budzika z ABS-em.

Co się dzieje, wujku? Czemu krzyczysz?
Aaaaaa!

W nocy złodzieje włamali się do domu. Zabrali wszystko!

Wnet...
Nie rozumiem. Z jakiego powodu zostawili jakieś stare rzeczy w miejsce tych ukradzionych?
Tajemnicza sprawa. Policjanci z komisariatu będą pewnie równie zaskoczeni, jak my.
POLICJA

Wcale nie...
Ojej! Nie tylko my mieliśmy gości.
Dziś rano znalazłam tę staroć zamiast mojego elektronicznego cacka do mielenia kawy.
Ech! Podmienili mój notebook na maszynę do pisania.
Świetnie to rozumiem. Mnie zniknęło tyle rzeczy, że już nie poznaję swojego domu.

Dziwne. Ktoś dla kawału zamienia po kryjomu jedne przedmioty na inne.
Grrr! W dodatku jest bardzo dokładny.
KRADZIEŻE I WŁAMANIA

Moją kolekcję plików muzycznych zastąpił identyczny zestaw płyt winylowych.
?!
KRIS

Grrr! Ciekawe, co policja robi, żeby zatrzymać tego drania.
Spokojnie! Sytuacja jest pod kontrolą.

Ekhem... Komisarzu, tajemniczy złodziej znowu zaatakował.

Zamiast elektrycznych latarń w całym mieście pojawiły się gazowe.
Ojej!

Wnet...
Wujku, czyja to może być sprawka?
Nie mam kaczego pojęcia, Dyziu.
POLICJA

Wiem tylko, że kolejnych wiadomości wysłuchamy już w radiu. Ech! Tęsknię za pilotem.

Chodźmy, bo jeszcze się spóźnimy na prezentację Ajajfona.
KRÓLESTWO WYNALAZKÓW

A zatem...
Drodzy cyfrowi przyjaciele, dzisiaj przekroczymy nową techniczną granicę. Przed wami... Ajajfon!
AJAJFON
Hura! Super!
Chcę go mieć!
Ma wiele nowoczesnych funkcji. Można mu powierzyć prowadzenie domu i... swojego życia.

Pozwala na zdalne sterowanie lodówką. Przeprasza, kiedy się spóźnimy. To zasługa rewolucyjnego mikroprocesora.

Poza tym filtruje wiadomości, biorąc pod uwagę nasz humor, i sam spławia natrętów.

Ten telefon to cud techniki. Ciekawe, czy ma też funkcję spławiania kuzynów.
Chi, chi! Miejmy nadzieję, wujku.

Z drogi! Nie mogę żyć bez tego wspaniałego gadżetu.
KASA

Kwa! Co się dzieje?
01234
12345
Jejku!

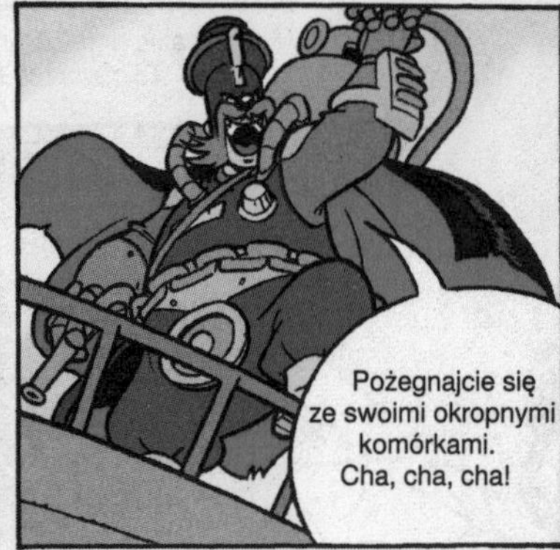
Pożegnajcie się ze swoimi okropnymi komórkami. Cha, cha, cha!

Niedługo wszystkie znikną za sprawą mojego spreju regresywnego.
Kwa! Analogowy Rycerz powrócił.
PSSS

Rety! Ajajfony zmieniły się w budki telefoniczne. Zagadka się wyjaśniła.
Zgadza się, kaczorku.
SPREJ REGRESYWNY

Nadeszła pora na analogową rewolucję. To zmierzch ery cyfrowej!
Masz ci los! Szybko! Trzeba zawiadomić policję. Ekhem... Ma ktoś monetę?

Kilka dni później...
Co o tym myślisz?
Przyzwyczajenie jest drugą naturą człowieka.

Pomimo technicznego regresu nie wszyscy mają ochotę wracać do przeszłości.
Oj! Miejmy nadzieję, że ktoś niedługo znajdzie na to sposób.

To chyba bardzo męczące?
Tak, ale nie umiem zrezygnować z noszenia telefonu.

A co robisz, jak chcesz wysłać SMS?

W dzień używam gołębi pocztowych, a po zmroku sów. Wtedy korzystam z wieczornej taryfy.
Aha!

Hej! Chodźcie, chłopaki. W radiu podają wiadomości.

Panika w Kaczogrodzie! Analogowy Rycerz znowu atakuje. Władze obawiają się powrotu do technicznego średniowiecza.

Ech! Świat się wali, ale niektórzy bez względu na wszystko nie zmieniają nawyków.
Ziew! Ale hałas. Wyłączycie to, chłopcy.

Nie mogę w spokoju medytować. Idę do pokoju. Nie przeszkadzajcie mi aż do jutra.

Nie do wiary. Każda pora jest dla niego dobra, żeby leniuchować.

A tak naprawdę...
Grrr! Analogowy Rycerz znowu uknuł perfidny plan antytechnologiczny.

Hmm... Posługuje się sprejem, który powoduje techniczny regres...

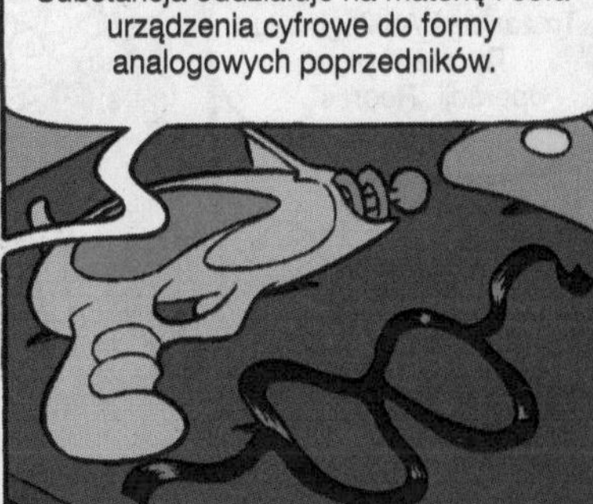
Substancja oddziałuje na materię i cofa urządzenia cyfrowe do formy analogowych poprzedników.

Dlatego budzik stał się klepsydrą,
a telewizor plazmowy radiem lampowym.
WYJŚCIE
1

Szkoda czasu. Chcę wreszcie stawić czoło temu nostalgicznemu buntownikowi.

Tymczasem gdzie indziej...
Che, che! Niedługo ta budka telefoniczna też wróci na swoje miejsce.

To zasługa Analogowego Rycerza i jego operacji „Regres".

A jak już skończę, telefony komórkowe będą jedynie złym wspomnieniem.
MRUG

Pozostaje tylko dosiąść parowego rumaka. Nadszedł czas zemsty. Cha, cha!

Później...
Pomóż nam, Superkwęku!
Hej! Coś się dzieje na terenie uniwersytetu.

Co tam, chłopaki?
Ech! Ten analogowy świr przerwał nam turniej na Y-boksie.

Cha, cha! Jak miło, kiedy gry wideo zmieniają się w kółko i krzyżyk.
O nie!

Zabawa skończona, Analogowy Rycerzu!
Superkwęk! Mój największy wróg.

Tym razem mnie nie zatrzymasz, kaczorku w masce.
SP

Zobaczymy, jak sobie poradzisz z tym cudownym sprejem.
PSSS

Rety! Mój samochód zmienił się w brykę Kwantomasa.

Spróbuj mnie teraz dogonić.

Nie mogę latać, ale to nadal samochód złodzieja dżentelmena, którym zainspirował się Superkwęk.

Depczę ci po piętach, mądralo!
WRRRUM

Grrr! Niech to licho. Zaraz załatwię cię raz na zawsze.
PSSS

Nikt mnie nie zatrzyma! Świat jutra będzie analogowy.

Co się dzieje z twoim pojazdem?
Kwa! Burza zakłóciła stabilność materii w samochodzie.

Hmm... Pojazd ciągle zmienia kształt. Nie przewidziałem takich skutków ubocznych.

Uciekajcie! Miasto pogrążyło się w chaosie.
?!
SP

Co to ma znaczyć?
Ajajfony przemieniły się w zmutowane budki telefoniczne i chodzą po mieście. Patrzcie!

Odpłacimy ludziom za wszystkie krzywdy. Ich godzina wybiła!

Rety! Usuną nas z książki telefonicznej.
Oddajemy głos profesorowi Jonaszowi Solariemu.

Obecne wydarzenia to skutek spreju Analogowego Rycerza.

Urządzenia powracają do swojej dawnej postaci. Ale telefon komórkowy ma bardziej złożoną budowę niż automat z budki...
SPR

...i w trakcie regresu powstaje dodatkowa materia.

Ta materia skondensowała się w chmurze, która wisi nad naszym miastem.

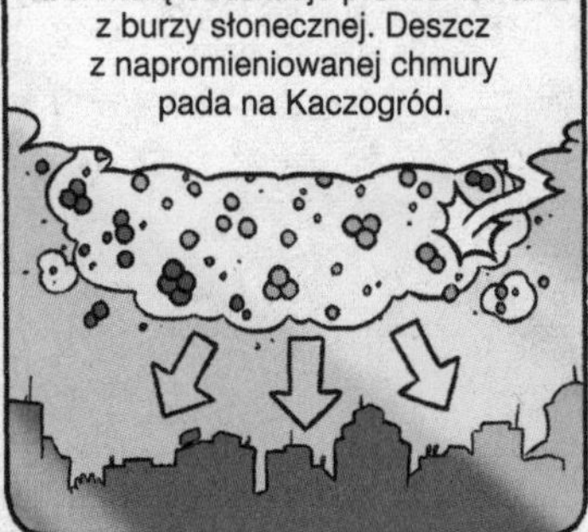
Na chmurę oddziałuje promieniowanie z burzy słonecznej. Deszcz z napromieniowanej chmury pada na Kaczogród.

Dobra. Ale dlaczego budki zaczęły chodzić?
Chyba niestety zaczynam rozumieć.

Napromieniowana materia ze skomplikowanych komórek wniknęła w prostsze budki, a wtedy ich mechanizmy zwariowały.

A oto skutek. Budki telefoniczne o nielogicznej inteligencji.
Masz ci los! Stworzyłem potwory.

Ekhem... Nie chcę przeszkadzać, ale szykują się kłopoty. Ja stąd spadam.
Rety! A ja za tobą, kolego.

Ja nie mogę uciec. Muszę stawić im dziób.

Stać! Nie pozwolę wypełnić waszego przestępczego planu.

Che, che! Tak ci się tylko wydaje, kaczorze.

Tu centrala. Włączcie wibracje, siostry.
Już się robi. Negatywne wibracje.
DRRRYŃ
Uch! Nie mogę. Zwala mnie to z nóg.

Ech! Przeze mnie ludzkość pogrążyła się w koszmarze gorszym niż era cyfrowa.
KLAK
PTIONG

Za mną, Superkwęku. To nie jest świat, jakiego chciałem.

„Jeśli połączymy siły, poradzimy sobie z tym atakiem telefonii".
Czemu przyprowadziłeś mnie do Muzeum Nauki i Techniki w Kaczogrodzie?

W budynku kryje się pewien sekret. Za mną.

Oto laboratorium Analogowego Rycerza. Stąd ruszy nasz kontratak.

Musimy w jakiś sposób przeciwdziałać skutkom burzy słonecznej.

Potrzebne nam antidotum, które z powrotem zmieni zmutowane budki w Ajajfony.
Hmm... Mogę spróbować. W końcu ten sprej to mój wynalazek.

I tak...
Gotowe. Zmieniłem proporcje składników. Mamy antidotum.

Pozostaje nam tylko znowu spryskać przedmioty, które uległy regresowi.

A jak chcesz to zrobić? Na to trzeba paru dni, a tymczasem budki telefoniczne zajmą miasto.
Muzeum zbudowano na dawnej miejskiej elektrowni parowej.

Użyjemy komina do rozpylenia antidotum.

Nie sądzę, żeby to się udało.
?!

Do licha! Jak znalazłyście moją kryjówkę?
Zadzwoniła do nas przyjaciółka z wystawy. Che, che!

Szybko, Analogowy Rycerzu! Włącz manometry. Ja się nimi zajmę.

Siostry, maksymalna moc wibracji!

TRRRRRR
Kwa! Zaraz wszystko się zawali. Musimy stąd uciekać!

Ja nie mogę. Muszę zostać i dopilnować otwarcia zaworu pary.

„Idź i otwórz klapę na górze, żeby
można było rozpylić antidotum”.

Khy! Khy! Udało się.

RRRUMS
Rety! Budynek się wali.

WUUUCH
Aaa! Muszę wytrzymać za wszelką cenę.

TRRRAAACH
Analogowy Rycerz dał radę. Antidotum rozprzestrzenia się nad miastem.
Kaczogród uratowany, a zmutowane budki z powrotem zmieniły się w komórki.

W tej wersji
też jesteście zbyt
antypatyczne.

To chyba właściwe miejsce
na takie diabelstwa.
BACH

To już koniec. Miasto wróci do
normalnego życia... ale za jaką cenę?

Analogowy Rycerzu, byliśmy wrogami,
ale odkupiłeś swoje winy.

Zwycięstwo nad tyranią telefonii
stanie się pomnikiem na twoją cześć.

Superbohater wchodzi do budki telefonicznej i błyskawicznie się przebiera. Jednym słowem – klasyka...

KONIEC

Walt Disney
Wujek Sknerus
Puszka Kantora
Saloniki, główny port Grecji...
W tym roku też zyski rosną. Gratuluję, dyrektorze.
Che, che! Dziękuję, panie McKwacz.
MROŻONE RYBY McK
J-2869-S

Wszyscy staramy się jak najbardziej zoptymalizować proces produkcji.

Każdego ranka tony ryb, złowionych w nocy przez naszą flotę kutrów, trafiają do fabryki i natychmiast je zamrażamy.
MROŻONE RYBY McK

Dzięki temu produkt pozostaje świeży, a klienci doceniają jego jakość, bo... ple, ple, ple...
Ta podróż w interesach świetnie się wujaszkowi układa.
Tak. Wszystkie jego biznesy kwitną.

Skoro o zyskach mowa... możliwe, że znaleźliśmy nowe ich źródło.
?!

Rybacy zobaczyli ją w jednej z sieci. Wygląda na starożytną...
Mniam! Może zawiera złoto i klejnoty?

Wiedziałem, że to pana zainteresuje, więc czekałem z jej otwarciem.

Donaldzie, proszę.

Uch! Ciężko to idzie, ale...
ŁUP
ŁUP

KLAK

Ech! Nic cennego.
Tylko dwie tabliczki...
Hmm...

Te napisy to starożytna
greka, ale... mogę
przetłumaczyć.

Na jednej opisano słynny mit
o puszce, którą Zeus,
najważniejszy z bogów,
podarował Pandorze
z okazji jej ślubu.

Polecił nigdy jej nie otwierać. Ale ona
z ciekawości nie usłuchała...

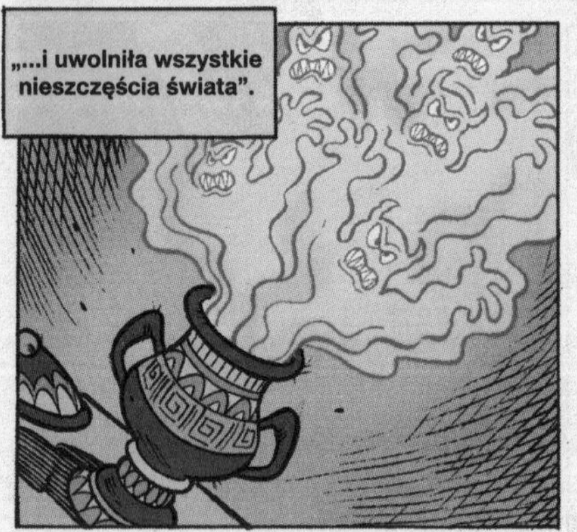
„...i uwolniła wszystkie
nieszczęścia świata".

Mitologia... Phi! Liczyłem na
coś bardziej dochodowego.

A co jest na drugiej tabliczce?
Inny mit, zupełnie nieznany.
Wygląda na to, że Pandora miała kuzyna, zdolnego tkacza o imieniu Kantoro.
„Kantoro udał się na górę Olimp i podarował Zeusowi piękną tunikę...”.
Nigdy nie nosiłem tak cudnego stroju. Jest naprawdę godny pierwszego boga.
Czuję się zaszczycony, że ci się podoba.

Chcę się odwdzięczyć za ten dar.
Ekhem... Dziękuję, boski Zeusie.

Swoją hojnością dowiodłeś, że masz bogate wnętrze, więc tak samo będzie z tą puszką.

Otwórz. Nie bój się.
?!

Och! Złote monety.

Kwa! Proszę, proszę! Ta historia zaczyna się robić ciekawa.

„Kantoro, uszczęśliwiony darem, wypłynął swoją łodzią z powrotem do domu..."

„...ale z nadejściem zmroku musiał przybić do wyspy Numis. Poszedł na kolację do gospody »Pod Księżycem«”.
Mlask! Siorb! Pyszna ta zupa zbożowo--jarzynowa.
„Kiedy regulował rachunek, popełnił niewybaczalny błąd...”.
Zjadłem wyśmienity posiłek. Zasłużył pan na suty napiwek.
Och!
„Wszystko widziały podejrzane typki...”.
Tyle złota marnuje się w rękach tego prostaka.
Che, che! Już my temu zaradzimy.
„Gdy Kantoro wyszedł z lokalu, napadło go dwóch zbirów...”
Oddawaj to naczynie albo będziesz miał poważne kłopoty.
Ojej!
PORT
GOSPODA „POD KSIĘŻYCEM”

„...ale, na szczęście, zdołał im uciec".
Uff! Puff! Doganiają mnie.

Muszę ukryć puszkę, żeby jej nie znaleźli.

„Bez ładunku Kantoro opuścił wyspę. Chciał później wrócić po puszkę..."

„...lecz życie potoczyło się tak, że tego nie zrobił". Nic więcej nie ma.
Hmm...

Fascynująca historia. Szkoda, że to tylko bajka.
Nie byłbym taki pewien.

Doświadczenie nauczyło mnie, że legendy zwykle mają w sobie ziarno prawdy.

Kwa! Nie mów, że chcesz jechać na poszukiwanie puszki Kantora.
No, skoro już jesteśmy w Grecji...

...podskoczymy na Numis, żeby to sprawdzić.
Och!

Nasze kaczory dopływają na wyspę i...
WRRRUM

Wioska musi być blisko.

Na bogów olimpijskich! Trafiliśmy do starożytnej Grecji!

Witajcie na Numis, cudzoziemcy.
Kwa! Przecież to... to Zeus.

No, powiedzmy, że występuję w jego roli.

Tak naprawdę jestem burmistrzem.
Czemu wszyscy nosicie stroje z przeszłości?

Na naszą wyspę przyjeżdża wielu turystów. Mitologiczny klimat dodatkowo ich przyciąga.
Aha.

Wy też jesteście turystami, prawda?
Ekhem... Oczywiście.

Ani słowa o puszce Kantora. Lepiej zachować ostrożność.

Tutaj czeka was niepowtarzalna atmosfera i... przepraszam na chwilę.
DRRRYŃ

Cooo? Znowu brakuje trzech urzędników?

Do licha! Wystarczy, że na chwilę wyjdę z ratusza...

Bawcie się dobrze. Do zobaczenia.

Co za miejsce!
Ekhem... Przepraszam.

Jestem Hermes, a raczej wcielam się w jego rolę. Może jakieś pamiątki?
SUWENIRY
Kwarak!
Che, che! Dobre przebranie dla sprzedawcy. W końcu Hermes był między innymi bogiem kupców.
Weźmiemy ten metalowy grom.
Dobry wybór, chłopcy.
Gdzie możemy uzyskać informacje o budynkach, które w starożytności wznosiły się na wyspie?
Hmm...

Spróbujcie w bibliotece.
Może w jednej z ksiąg...
Wielkie dzięki.
Czemu interesują cię starożytne budowle?
Ech, ptasi móżdżku... Nie pamiętasz, że według legendy Kantoro ukrył puszkę...
...w lesie obok gospody?
I co z tego?
Ta wyspa jest pełna lasów. Znajdziemy ten właściwy, gdy dowiemy się, gdzie stała ta gospoda.

A zatem...
Mlask! Książka, której szukacie, jest jeszcze w magazynie.
Och!

Nosi pani strój Ateny, bogini mądrości, prawda?
PFFF

Mlask! To chyba pasuje do bibliotekarki, prawda?
Che, che!

Jak mówiłam, książka jest gdzieś tutaj. Wśród tych, które muszę jeszcze odkurzyć i poukładać na półkach.

Lepiej przyjdźcie jutro...

A gdybyśmy sami je odkurzyli, moglibyśmy przejrzeć książkę jeszcze dziś?
Dobra.

Przyda się twoje doświadczenie w polerowaniu monet, mój drogi. Pora zakasać rękawy.
Ojej!

Grrr! Wiedziałem, że prędzej czy później czeka mnie harówka.
FRUSZ
FRUSZ

Później...
Uff! S-skończyłem.
Świetna robota.

„Budownictwo Grecji starożytnej". To ta.

Hmm... hmm... Gospoda „Pod Księżycem" znajdowała się w północnej części wyspy.

Mlask! Znaleźliście to, czego szukaliście?
Ekhem... Tak, tak.

Część lasu, do której mamy dotrzeć, leży dość daleko.

Idź poszukać taniego środka transportu. Tymczasem my weźmiemy narzędzia.

Hmm... Tyle chyba wystarczy.
Wujek Donald już pewnie czeka. Ciekawe...

„...jaki środek transportu nam znalazł...”.
I co wy na to? Czeka nas wygodna i szybka podróż.
Dziękuję, że wypożyczył nam pan rydwan.
Nie ma za co, dziadku. Nazywajcie mnie Apollem, bogiem słońca i zagadek.

Che, che! Tak. To jego słynny rydwan.
Taka atrakcja turystyczna.

Dzisiaj nie powinienem pracować, więc będzie was to kosztowało...
I-ile?

...tysiąc dolarów.
Kwak! Rozbój w biały dzień!

Ty matołku! Powiedziałem przecież, że ma być tanio!
Aaaaaa!
Che, che!

Po dotarciu do lasu...
Jak chcesz znaleźć tę legendarną puszkę?
Pomoże mi mój równie legendarny nos.

NIUCH NIUCH NIUCH

Hura! Już czuję charakterystyczną woń złota.

Dochodzi stąd.
SZRU
SZRU

Kwik!
Aaach!

Ratunku!
Brawo, Donaldzie! Zajmij tego zwierza, a ja przeszukam krzaki.

BACH

Uch! Znalazłeś to naczynie?
Grrr! Gdzie tam. Fałszywy trop.

Niuch! Niuch! Zdaje się, że więcej nie ma...

Grrr! Może ten mit to faktycznie tylko wytwór fantazji?
Nie wyciągaj pochopnych wniosków.

Ziemia jest bardzo twarda. Rozkopanie jej gołymi rękami zajęłoby mnóstwo czasu...
BONG
BONG

...a wiemy, że Kantoro, ścigany przez bandziorów, wcale go nie miał.
Hmm... Faktycznie.

Według nas możliwe, że ukrył puszkę gdzie indziej. Na przykład wśród tych skał na górze. To idealne miejsce.

Sprawdźmy to zaraz.

Niuch! Niuch! Macie rację. Tutaj zapach złota jest bardzo wyraźny.

Dochodzi stąd. Nie poczułem go przez te kamienie.
Patrzcie! Jest tu głęboka naturalna rozpadlina.
Jau!
BACH
To bezcenne znalezisko jest na pewno tutaj.
SIUP
Co za radość! Znalazłem!
Che, che! Złote monety są moje.

Pomyłka! Moje.
Kwak!

Od razu cię poznałem, McKwacz.
Grrr!

Czytałem w gazetach o przyjeździe słynnego multimiliardera do Grecji.

Znając cię (ze słyszenia), od razu zrozumiałem, że nie przyjechałeś tu zwiedzać...

...tylko szukać czegoś cennego. I miałem rację.
Kwrrr!

Wstyd! Hańbisz strój boga kupców.
Znowu się mylisz.

Hermes był nie tylko bogiem kupców, ale także... złodziei.

Dlatego odgrywam go całkiem nieźle. Chłe, chłe!
Ty draniu!

Dosyć gadania. Dawaj naczynie.

Zostańcie tu. I bez numerów,
bo pożałujecie.

Chłe, chłe! Kiedy trzeba,
nawet na naszej wyspie
używamy współczesnych
środków transportu.

Teraz!
CISK

Aaa!

Jau!
BONG

Na niegooo!

TRZASK
PRASK
CHEP
ŁUP

Popełniłeś błąd, Hermesie. Powinieneś wiedzieć, że żaden cwaniak nie wyroluje Sknerusa McKwacza.

Gratuluję celności, chłopcy.
Młodzi Skauci często ćwiczą rzuty do celu.

Po powrocie do miasteczka...
Ten drań od razu pójdzie do więzienia.
RATUSZ
Przykro mi, że zepsuł wam pobyt na wyspie.
I tak mieliśmy już wracać.
Znaleźliśmy to, po co przyjechaliśmy: puszkę Kantora.
A niech mnie! Czyli istnieje naprawdę!
Ech!

Myślałem, że Apollo bredził po uderzeniu w głowę. A tymczasem...

Ekhem... Musimy iść.
Chwileczkę!

Zgodnie z naszym prawem wszystko, co zostanie tu znalezione, należy do wyspy. Puszka jest nasza.
Kwarak!

Ech! Nie należy mi się nawet nagroda?
A, pewnie.

Piękny pergamin z serdecznym podziękowaniem.
Kwrrr!

Chodź tutaj! Nauczę cię trzymać dziób na kłódkę!
W nogi!

No, no! Na tej wyspie naprawdę dbają o starożytny klimat. Są nawet... gromy Zeusa.
BZYT
BZYT
BZYT
KONIEC

Scenariusz: Michele Gazzarri, rysunki: Romano Scarpa

Popatrzmy. Rachunki, faktury, wezwania do zapłaty... Phi!

O, jest pocztówka od siostrzeńców. Napisali z obozu Młodych Skautów.

To przyjmuję, reszty nie. Niech pan wszystko zabierze.
Cooo?!

Wylałem siódme poty, dźwigając ten worek, a teraz miałbym targać go z powrotem? Nigdy!

Uch!
SZUST

Che, che! Od razu mi lżej.
Kwrrr!

SZRU
Oddaję samochód, panie Donald.
PIIISK
KACZOR DONALD

Wymieniłem wahacz i parę innych drobiazgów. Jest mi pan winien pięćdziesiąt dolarów.
P-pięćdziesiąt dolarów?
KACZOR DONALD

Ojć! Nie mam ani centa. Muszę to sprytnie rozegrać.

Okej. Zapłacę gotówką, jak to mam w zwyczaju, ale najpierw chcę zobaczyć, co zostało naprawione.

Dobrze jest ufać innym, ale jeszcze lepiej – nie ufać. Słyszałem o nieuczciwych mechanikach, którzy wymieniają świece na świeczki choinkowe.

Do widzenia, proszę pana! Radzę na mnie nie czekać, bo nieprędko wrócę. Cha, cha!
Och!
WRRRUM

Nie ze mną te numery!
ŁAPS

Stać! Pięć dych, ale już!
A kto tyle ma?

Ja prowadzę!
Nie, bo ja!
PIJ MLEKO
SZUUU
PHHK

KOSIR KACZY OŚRODEK SPORTU I REKREACJI
GRUCH
KWA 313
WRRRUM
SZUST
Trochę tu niewygodnie. Lepiej zejść do okna.
Hmm... Nie. Zdaje się, że trochę za szybko.
BRZĘK
Kwa!

Kręgielnia.

Uch!
BONG
ŚWIST

Jauć!
KLAK
ŚWIIIST

Hej! Co to za nowy model kuli?
ZIUUU

Musi być tutaj, w kręgielni. Jak go dorwę, to pożałuje, że się wykluł.
KRĘGIELNIA

BĘC

BĘC
KOSiR

Uch! Och!
Donaldzie!

Wujaszku! Co tu robisz w takim stroju? Wybrałeś się na polowanie w centrum Kaczogrodu?
Zgadłeś.
$

To szczególny rodzaj polowania. Czyham na dłużników. A ty jesteś pierwszym, którego spotykam.
Kwak!

Ej, chwileczkę! Chyba nie chcesz strzelać?
W takim razie, po co brałbym broń?

Ratun...
PAF

Spłać długi!
Litości, wujaszku! Jestem zupełnie spłukany. À propos, mam do ciebie prośbę.

Skoro los nas ze sobą zetknął... ekhem... mógłbyś mi pożyczyć...
Zamilcz, bo nacisnę spust.

Wstawaj! Skoro nie możesz zapłacić, masz dla mnie popracować.
P-popracować?

Spokojnie, to nie będzie ciężka robota. Czyhanie na dłużników odciąga mnie od innych obowiązków. Zapolujesz za mnie.
Ja?

Masz. To lista nazwisk i adresów moich dłużników. Przyciśnij ich po kolei i zmuś, żeby zapłacili.
Hura!

Przynajmniej raz w życiu mogę egzekwować, zamiast płacić.
Połamania płetw!

Niebawem...
Właściciel tego basenu kupił od wujaszka trampoliny i jeszcze nie uregulował rachunku.
BASEN

Przepraszam, gdzie znajdę właściciela?
To ja. Czego pan chce?

Pieniędzy. Od dwóch miesięcy nie zapłacił pan za trampoliny z firmy McKwacza.
Trampoliny, tak?

Niech pan sam zobaczy. Najgorsze, jakie w życiu widziałem. Nie mają sprężystości, o braku bezpieczeństwa już nie wspomnę.

Proszę podejść. Niech pan spróbuje.
Ja... tego... eee...

Śmiało. Proszę podskoczyć.
?!

Można z nich spaść zupełnie niespodziewanie, słowo daję.

Widzi pan?
KWARAK
TRRR

Minęło kilka minut...

Minęło jeszcze kilka minut...
Wypuśćcie mnie! Zrozumcie, nie jestem wariatem!
Hmm... Wszyscy tak mówią. Samo takie stwierdzenie to już objaw.

Zostanie pan tutaj. Leczenie w mojej supernowoczesnej klinice Kukuna-Muniu potrwa przynajmniej rok.
Kukuna-Muniu, mówi pan?

Ciekawe. Jesteście winni Sknerusowi McKwaczowi tysiąc dolarów za kaftany bezpieczeństwa. Jestem jego przedstawicielem. Proszę zapłacić.

Dobrze, dobrze... Po namyśle... potrzymamy pana pięć lat, a nie rok.
Kwa!

?!
Nigdy!

Łapcie go!
Nie dajcie mu uciec!

Zwieję tą karetką.

Che, che!
Nie zatrzymają mnie.

ŁUBU-DU

Nieco później...
FIRMA BUDOWLANA McPUSTAK
Już z dwoma dłużnikami nie dałem sobie rady. Sprawdźmy na liście, kto jest trzeci.

Firma budowlana McPustak? A niech mnie, to właśnie tutaj. Idę.
FIRMA BUDOWLANA McPUSTAK

Gdzie znajdę pana McPustaka?
To ja. Ale nie zatrudnię pana. Na murarza jest pan zbyt wątły.

Już mam robotę, drogi panie. Egzekwuję długi dla pana McKwacza. Jest mu pan winien trzy tysiące dolarów za dostawę cementu.
Ach!

To ma być cement? Widział pan ten beton? Miękki jak masło.
Nic mnie to nie obchodzi. Albo pan zapłaci, albo podejmę radykalne kroki.

Ten kaczor naprzykrza
się szefowi.
Ja mu pokażę.

Kwa!

SZUUU

ŚWIIIST
?!
?!

PLASK

Żarty się skończyły. Zmuszę go, żeby zapłacił. Zobaczy, z kim ma do czynienia.

Nie odejdę stąd bez trzech tysięcy dolarów. Pański dźwig mnie do tego nie zmusi.
To się jeszcze okaże. Che, che!

Zostawcie mnie! Zostawcie!

Zostaw... Kwa!
ZIUUUUUUU
A teraz z całej siły!

PAF
?
!
Co to było?
Latający talerz?
Rety! Potwór, który spada z nieba?
Donald!
Tak ci się tylko wydaje. Masz przed sobą jedynie moje szczątki.
Poszedłem na łowy, a sam dałem się złowić. Już nie mogę. Rezygnuję.
Naprawdę?

Nie nadaję się do tego.
No i? Co mi wobec tego radzisz?

Kontynuuj łowy. Nikt nie potrafi odzyskiwać długów lepiej niż ty.
Dobra. Zaraz zacznę od nowa.
KLAK

Kwarak!
Zatrzymaj się! Stój! Ręce do góry! Nie zapominaj, że zawsze jesteś moim dłużnikiem numer 1.
PAF
!?!
!
?

KONIEC

Walt Disney
MYSZKA MIKI
Kosmiczny kurz
Kap Karnawal, myszogrodzka baza kosmiczna...
Przyznaj, Miki, że tym razem trafiłeś kulą w płot.
J-2853-3
Słowa Ele-Mele, że w bazie ulokował się intruz, to bzdura. Sprawdziliśmy pracowników i wszystko gra.
Hmm... A jednak...

Mój przyjaciel Tere-Fere z policji galaktycznej nigdy nie żartuje, gdy chodzi o przestępcę...
Zwłaszcza poszukiwanego w osiemnastu układach, siedmiu mgławicach, a nawet w czarnej dziurze.
Niestety, mamy do czynienia z nim: straszliwym profesorem Hiperspejsem.
10.000 LIST GOŃCZY
„Tere-Fere natrafił na sztuczną asteroidę o napędzie rakietowym, którą uczony wykorzystuje jako swoją ruchomą bazę...".
EEEOOO
EEEOOOEEE
ZIUUU

„Następnie wszedł na pokład...”
GRUCH
„...i złapał przestępcę. A przynajmniej tak mu się zdawało”.
„Później podczas osiłku w więzieniu...”
Gul, gul, gul! Doskonały olej. A mówią, że w więzieniach źle karmią.
OLEJ
!
?
Macie też śrubokręt? Szyja mi się obluzowała.
Aaa!
Cybernetyczny sobowtór? Taki jesteś sprytny, co? Patrz mi w oczy, kiedy do ciebie mówię!
To nie takie proste.

„Na szczęście Tere-Fere ma aparat holoprawdy. Analizując pamięć robota, przejrzał plan profesora".
BZZZZZZ
Ziemskie budowle?

Hmm... Chce ukraść nasze budowle? Ale po co?
Zapłacił mu za to nieuczciwy kolekcjoner z wymiaru Omegi.

Nie rozumiem, w jaki sposób przeniknięcie do bazy kosmicznej miałoby mu pozwolić na... hę?

Za parę minut wystrzelimy nowego satelitę. Chcecie popatrzeć?
Aha! Tu będzie chciał uderzyć.

Miejcie oczy szeroko otwarte. W każdej chwili może wkroczyć do akcji.

Hej! Co ten typ wyprawia?
Nie pora na wiosenne porządki.

Bolek ma bardzo ważne zadanie.
Musi usunąć każdą drobinę kurzu
przed startem rakiety.

W próżni kosmicznej kurz
unosi się w stanie nieważkości
i może wywołać zakłócenia
albo nawet szkody.
A poza tym na pokład nie
wpuszczamy roztoczy bez
skafandrów kosmicznych.
Che, che!

Hmm... Teraz
rozumiem.

Zatrzymajcie Bolka, szybko! Nie
może dotknąć satelity miotełką.

Hę?
Dokąd to?
Przejrzałem plan Hiperspejsa.
Bolek! Nie ruszaj się!
Stój!
Hej! Ale co...
On nie może być przebranym naukowcem. Sprawdziłeś już wszystkich techników swoim skanerem demaskującym.
Fakt, nie jest przebrany. Śmiało, włóż to.
To pas miniaturyzujący.
BZIUUUN

Staniemy się
mali jak drobinki pyłu.
BZIUUU
A teraz... hopla!
Na miotełkę Bolka.
HOP
SIUP
Aha! Tak sądziłem.
To tutaj ukrył się
Hiperspejs.

Nie do wiary! Ale jak to możliwe?
To proste. Profesor przestudiował procedury startu satelity.
„Wiedział więc, że ostatnią czynnością przed startem jest odkurzanie".
„Poddał się miniaturyzacji i schował w miotełce. Czekał, aż Bolek jej użyje..."
„...co pozwoliłoby mu niezauważenie wejść na pokład".
Zgadza się. Zamierzałem na orbicie wrócić do zwykłych rozmiarów i uruchomić promień teleportacji.
BZYT
Ojć!

Trafiając nim w miasta, takie jak Rzym, Paryż, Nowy Jork, nad którymi przeleci satelita...
BZYT
...raz-dwa przeniósłbyś znane obiekty prosto do odbiorcy. Bardzo sprytnie.
Głupio z waszej strony, że stawiacie mi czoło bez odpowiedniej broni.
Uch! Ele-Mele, nie masz w zanadrzu nic, co by nam pomogło?
RATATATATATA

Ojć! Nie. Niestety, on ma w kieszeni to samo, co ja. Cokolwiek przeciwko niemu zastosuję, znajdzie coś do obrony.
RATATA

Hmm... Czyli musimy jakoś odwrócić jego uwagę.
To chyba proste?

Nie ma sensu, żebyście się chowali. Dzięki swoim okularom widzę was nawet przez włoski miotełki.

Włoski miotełki! No jasne!
PSTRYK

Ele-Mele, przydałoby się jakoś zwiększyć ładunki elektrostatyczne.
RATATATA

Hmm... Może mam coś w sam raz.
Byle szybko!
ZYYYNG
?

Ta minilatarka strzela niskonapięciowymi iskrami. Używamy ich jako ozdób świątecznych.
Skieruj ją na niego.

Cha, cha! Myślisz, że pokonasz mnie zabawką dla dzieci?

Ej, ale co...

Aaach! Co się ze mną dzieje?
PLASK

Phi! Nieuk z ciebie, jak na naukowca... choćby i przestępcę.
Grrr! Nie mogę się ruszyć.

„No pewnie. Miotełka jest wykonana z materiału, który przyciąga ładunki elektrostatyczne kurzu...".

„Kiedy Ele-Mele użył swojej latarki..."

...miotełka przyciągnęła także ciebie.
Grrr!

Nie wierzgaj. To na nic. Te miotełki są niezawodne przeciwko szkodliwym roztoczom.

Pozostaje tylko wrócić do normalnych rozmiarów...
KLIK
...i zawiadomić policję galaktyczną.
Miki! Ele-Mele! Co się stało?
Już po wszystkim, komisarzu. Hiperspejs unieszkodliwiony. Zaraz ci opowiem.
A zatem...
Niesamowita historia.
Grrr! Wrrr!
Che, che! Czasami wystarczy zwykła miotełka, żeby oczyścić Galaktykę z przestępców.
KONIEC

WALT DISNEY
KACZOR DONALD
Poszukiwacze zaginionego komiksu
Tak, dobrze widzieliście. Ci dwaj w głębi placu...
...to Donald i Dziobas. Ale żeby się dowiedzieć, skąd się wzięli we Włoszech...
Scenariusz: Bruno Sarda, rysunki: Giuseppe Dalla Santa
J-2784-5

...cofnijmy zegarki o 48 godzin.
Hmm...
Co pana trapi, panie Rigatoni? Moja propozycja jest bardzo hojna...

...auuu! Czasem mi się to zdarza, kiedy wypowiadam to słowo.
Przyznaję, że kwota jest odpowiednia.

Ale kupno mojej sieci włoskich restauracji przyniesie panu wysokie zyski.
RISTORANTE Rigatoni

Z drugiej strony jestem już bogaty i liczą się dla mnie inne rzeczy.
?!

Przypuszczam, że zna pan moje hobby.
Oczywiście. Każdy wie, że kolekcjonuje pan rzeczy rzadkie i unikalne.

Dlatego pomyślałem o panu. Jako kolekcjoner odnosi pan same sukcesy.

Krótko mówiąc, jeśli mam podpisać umowę, chcę dostać... numer jeden.
Grrr! Oto odpowiedź.

Jak pan śmie prosić o moją ukochaną dziesięciocentówkę?
Hej! My, kolekcjonerzy, numerem jeden nazywamy komiks...

A! W takim razie znam dwóch wybitnych...
...i przede wszystkim darmowych...

„...ekspertów, którzy zajmą się jego poszukiwaniem".
Aż do Włoch po jakiś kolorowy zeszyt?
Jeśli o to chodzi, na strychu mam całe pudła komiksów i...
Spokojnie, moi drodzy. Tu chodzi o bardzo szczególny komiks.

We Włoszech latami wychodziło pisemko dla dzieci w formacie codziennej gazety. Później, 60 lat temu...

...wydawca niespodziewanie postanowił zmienić format na kieszonkowy. Magazyn odniósł ogromny sukces.

Legenda głosi, że pomysł poddał mu drukarz. Wcześniej wśród egzemplarzy, które drukował, znalazł się jeden w nowym formacie...
MÓJ PIERWSZY MILION

A skąd się wziął ten mniejszy egzemplarz?
To jest właśnie zagadka. Nikt nie ma pewności, ale...

...ten tajemniczy numer jeden zniknął. Marzy o nim każdy kolekcjoner.

Czy ta sprawa ma coś wspólnego z panem Rigatonim, z którym minęliśmy się w drzwiach?

Zgadłeś. Komiks pozwoli mi ubić z nim interes. Dlatego lepiej nie wracajcie z pustymi rękami.
Ojej!

A, zapomniałem. Podobno numer jeden można poznać od razu...

„...bo coś na okładce rzuca się w oczy".
W wydawnictwie roześmiali się nam w dziób.
Tak.
SUWENIRY
DUOMO

Uważają, że to bajka dla kolekcjonerów, którzy szukają tego komiksu jak kamienia filozoficznego.

Pojedźmy do starej drukarni w Gutenbergamo i spróbujmy się czegoś dowiedzieć.
M

A zatem dwie godziny później...
GUTENBERGAMO
Poszukajmy drukarni.
Po nazwie miejscowości można się spodziewać, że jest ich tu przynajmniej kilka*.
* Gutenberg był wynalazcą druku.
A dlaczego? Gutenbergamo to po włosku drukarnia?
Ech! Dajmy temu spokój.
Przepraszam. Domyślam się, że jesteście turystami i nie szukacie pierwszej lepszej drukarni, tylko...
„...miejsca wyjątkowego, czyli firmy Font”.
To był numer jeden w miasteczku. Potem stary Font postanowił zwinąć interes i zwiedzić świat.
Ekhem... Drukował też czasopisma dla dzieci?

Che, che! Wiedziałem. Poznam kolekcjonerów na kilometr.

Chodzi wam o to, prawda?
Kwa! Numer jeden!
Z błyszczącą, rzucającą się w oczy okładką!

Od pokoleń należy do mojej rodziny, ale potrzebuję pieniędzy.

Za tysiąc dolarów będzie wasz. Tylko szybko, bo nadciąga powódź.

Hmm... Boisz się, że woda zniszczy cenny komiks...

...czy raczej tego, że zmyje błyszczący znak z okładki?
Grrr! Muszę znaleźć innych naiwniaków.

Uważajmy na oszustów.
Racja. Tutaj wielu próbuje skorzystać na legendzie.
BAR POD LEGENDĄ
HOTEL JEDEN
Mój jest autentyczny.
RESTAURACJA PIERWSZY KOMIKS
PLAC NUMERU JEDEN
PIZZERIA NR JEDEN
CIASTKARNIA NUMER JEDEN
Mylisz się. To mój jest autentyczny.
Dwaj kuzyni kręcą się po miasteczku...
Symbole na okładce wskazują, że ten komiks to dzieło kosmitów.
...i natrafiają na rzekome autentyczne egzemplarze, ale...
Pachnie grzybami. To dar leśnych krasnali.
ANTYKWARIAT TAJEMNICA

...wszystkie okazują się fałszywe.
Oto kolejne dwadzieścia sztuk. Tym razem o zapachu lawen... ojć!

Tego wieczoru...
Nie, wujku. Na razie trafiliśmy tylko na kanciarzy.
da SALVATORE
PIZZERIA
MENU

Co powiedział wujek Sknerus?
Że czas to pieniądz. Żąda efektów.

Dobra. Na razie zajmijmy się pizzą. Jest wyborna.
No pewnie. W końcu całe życie zajmuję się pieczeniem pizzy.

Gratulujemy też nazwy lokalu. Różni się od innych.
Nie podobają mi się spekulacje na temat numeru jeden.

Może dlatego, że znam jego prawdziwą historię.
O nie! Pan też chce nam sprzedać „autentyczny egzemplarz"?
LEMON

Nie. Opowiem wam o drukarzu, który znalazł to pismo.
Znał go pan?

Tak. Już na emeryturze często do mnie przychodził. Uwielbiał opowiadać...

„...jak zaniósł egzemplarz w małym formacie prosto do wydawcy".

Wygląda pięknie, dziadku. Drukuj takie pismo. Mieści się nawet w kieszeni.
To bardzo innowacyjny format. Nie wiem, czy...

Zobacz! Można je schować pod podręcznikiem.
MATEMATYKA
„Na szczęście dziadek uwielbiał wnuczka..."
...który go przekonał.
Czyli to właśnie ten drukarz zrobił pierwszy kieszonkowy egzemplarz. Może pociął pismo i...
Nie. Wpadł na ten pomysł, bo znalazł taki w swojej drukarni, ale...
„...ukradła mu go czarownica".
Zagroziła, że zmieni mnie w żabę, jeśli nie oddam tego komiksu...
PIZZA
Nikomu o tym nie opowiadał, bo się bał, że uznają go za wariata.
Tamtego wieczoru zdradził mi tajemnicę, bo i tak się przeprowadzał.
A pan mu uwierzył?

Pewnie. Nie był wariatem ani tchórzem. Ale pamiętam, że cały się trząsł, kiedy...

...narysował mi tę czarownicę.
Kwa! Przecież to...

„...Magika de Czar!".
Jeśli chcesz wejść do mojego domu, nie wystarczy banalna przemiana w listonosza, Abro.
BZZZ
BZZZ

To nie koniec! Jeszcze się spotkamy!
WEZUWIUSZ
?!

Magika ma chyba zły dzień. Może lepiej wracajmy?

Wolę gniew wiedźmy niż wujaszka Sknerusa. Dlatego...

...skoro już tu dotarliśmy, trzeba spróbować.
J-jesteś pewien, że Magika ma jeszcze ten komiks?

Mam nadzieję. I liczę, że go odda. W końcu czemu wiedźmie miałoby...

„...zależeć na jakimś komiksie?”.
Cmok! Cmok! Nic nas nie rozłączy, kochany numerze jeden.

Ale muszę być czujniejsza. Odkąd zdobyłam nagrodę dla wiedźmy roku...

...Abra nie może mi tego darować i uwzięła się na niego.
Kra!

Grrr! Jeśli to znowu ona, zmienię ją w makolągwę.
PUK PUK

To wy?!
Ano tak. Co słychać?
Przychodzimy z pozdrowieniami od wujka Sknerusa.

Ma dla ciebie propozycję w kwestii tego komiksu, który masz od tylu lat...
Co takiego? Wy też!

Dosyć! Mam po dziurki w dziobie tych, którzy interesują się moim...
S-spokojnie!

BRZĘK
Co się dzieje?

O nie! Ktoś wszedł do środka!
Krrra! Krrra!

I ukradł mój ukochany numer jeden! Chlip!
Ta scena wygląda znajomo.
Fakt.

Co tam szemrzecie? To wy odwróciliście moją uwagę i...

Chwileczkę! Jesteście moją jedyną szansą na odzyskanie komiksu.

Proszę! Bez waszej pomocy nigdy mi się to nie uda.
Lepiej się zgodzić.

Racja. Jeśli odmówimy, może zmienić nas w żaby.
A jak już odzyskamy komiks, znajdziemy sposób, żeby go sobie zatrzymać. Che, che!

Dobra.
Niech będzie.
O, dziękuję. Obiecuję, że pogadamy o tej propozycji.

W porządku. Myślę, że Edgar może przekazać nam pierwsze informacje na temat złodzieja.

Raczej złodziejki. Ta czarna nitka potwierdza słuszność mych podejrzeń. To była Abra, moja wielka rywalka.

„Wróciła, kiedy byłam zajęta wami dwoma..."
Krrra! Krrra!

...a potem odleciała na swojej miotle z prędkością ponaddźwiękową. Ale dzięki tej nitce ją znajdę.

Kulo, oto twe zadanie: wskaż, kto czarne ma ubranie.

Szybko! Wsiadajcie na miotłę.

Trzymajcie się mocno. Ruszamy z kopyta.

ZIUUU

Kula doprowadziła nas tutaj.
BĘC
BĘC

BĘC

GOLA!
WYGRAMY!
NAPRZÓD BŁĘKIT!
LOLA-COLA
Jesteś pewna, że to właściwe miejsce?
Trafiliśmy w sam środek meczu piłkarskiego.
No... Sędzia jest ubrany na czarno.
Precz z boiska!

FIUUU
Ech! Tego się obawiałam. Magia zaczyna płatać mi figle.

Ale ja się nie poddam.
ZIUUU

Co się wyłoni
z czarodziejskiej skrzyni?

?!

Ekhem... Trzy kaczki.
To chyba też nie jest
strój, którego szukasz.
KLASK

Grrr! Muszę się
mocno skoncentrować.

PUF
Hej! Jaki tu ziąb!
ZIUUU

Jesteśmy
w górach.
To Abra.
Nareszcie.
Jedzie do swoich
krewnych z Tyrolu, którymi tak
się przechwala.

Hmm... Poprosiła o pomoc wuja,
hrabiego i czarodzieja.
Chcą przygotować eliksir,
który mi zaszkodzi.

Zaraz zobaczycie
karetę, którą ciągną
dwie żaby.

PUF
HAU
HAU

Hau!
Miau!

Ekhem... Magiko, może to wpływ obecności Dziobasa?
Co to za insynuacje?
Oho! Kierują się do zamku.

Chcę ich zatrzymać, zanim tam dotrą.
Uważaj na drzewa...
WIU
WIU

TRACH

ŚWIST
PLUSK

Zmieniłaś też Donalda? Za co?

A skąd. Oto i on.

I co teraz?
Ekhem... Przydałyby się jakieś czary.

A przede wszystkim ktoś, kto się na nich zna.
Phi! Zaraz zobaczycie.

Amulecie mój morowy, daj nam pojazd terenowy.

Chyba nie o taki pojazd chodziło?
„Mogłaś sprecyzować, że chodzi o samochód".
I tak...
Ekhem... Chcesz odzyskać numer jeden, ale słabo ci idzie z tymi czarami.
SKRZYP
SKRZYP
SKRZYP
Dosyć tego marudzenia. Pedałujcie.
Ech!
I co teraz? Jak wejdziemy?
Nie możemy skorzystać z bramy...

„...więc zostaje nam tylne wejście”.
Do sforsowania tych drzwi przydałby się taran.
Znam odpowiednie zaklęcie.

Magio, co w powietrzu lśni, pomóż staranować drzwi!

TU-DUM
TU-DUM
Ale pasztet! Zamiast tarana wyczarowałaś dzika.
A dzik... jest dziki!

TRACH

No, nie da się ukryć, że tym razem zaklęcie podziałało.

Teraz już pozwól działać nam.
Właśnie. Wszystkie zaklęcia są niebezpieczne.
Macie rację. Dopóki numer jeden nie wróci w moje ręce...
„...koniec z czarami".
Che, che! Kiedy eliksir się zagotuje, wrzucę do niego numer jeden Magiki...
Dobra. Stoją tyłem do nas.
...a ona straci całą swoją moc.
Doceniam twoją perfidię, moja droga.

Ale pamiętajcie, że jestem w waszych rękach.
Spokojna głowa. Potrafimy poruszać się...

„...cicho jak koty".
O nie! Wujaszek musi dzwonić akurat teraz?
DRRRYŃ

Co to za intruzi?
Grrr! Koledzy Magiki.
Łap!

Lepiej, żebym ja też wkroczyła do akcji.

Tylko się pospiesz! Tu się robi gorąco.
BZYT

No to zaraz schłodzimy atmosferę.

Stój! Celuję w ciebie swoją różdżką.

Natychmiast oddaj mi numer jeden.

ŁUBU-DU

Brawo, kuzynku! Tworzymy zgraną paczkę.
ĆWIR ĆWIR

Szybko! Zbierajmy się stąd.
Bez obaw. Skoro mam już numer jeden, moja magia...
...działa jak ta lala.
PSTRYK
Ale... miotła jest w kawałkach.
Już nie. A teraz...
PUF
„...wracamy do domu”.
Może nam wreszcie powiesz, czemu ten komiks...
...jest dla ciebie taki cenny?
Zgodnie z tradycją każda wiedźma zachowuje pamiątkę swojego pierwszego czaru.

Jeśli ją zgubi, zaklęcia zaczynają płatać figle.
Ale co ma do tego komiks?

Wszystko zaczęło się przed laty, kiedy miałam zdawać egzamin z magii. Chciałam się uczyć...

„...ze średniowiecznej księgi magicznej, która miała zostać przetłumaczona i wydrukowana w północnych Włoszech”.
Jest. Ale cegła.

Nadeszła pora na pierwsze zaklęcie.
DE MAGIA
Zmniejszę tę książkę do takiego formatu, żeby zmieściła mi się do torebki.
„Ale trema tak mnie zżerała, że w efekcie trafiłam zaklęciem w lustro".
O nie! Czar uderzył w jedną z tych gazet.
BZYT
BUCH
Hej! Co się dzieje?
Ojć! Ktoś przyszedł.
Nie do wiary! Ten egzemplarz wydrukował się w pomniejszonym formacie.
Muszę mieć to pisemko. W końcu chodzi o mój pierwszy czar.

Dalszy ciąg tej historii już znamy.
Zabrałaś komiks, ale drukarz...

...poddał wydawcy pomysł publikowania pisma w tym formacie...
...i sukces był ogromny.

Można nawet powiedzieć, że to był magiczny sukces.
Już rozumiecie? Numer jeden to nie pierwszy numer komiksu, tylko moje pierwsze zaklęcie.

Ale teraz mi opowiedzcie, skąd się tu wzięliście.

Skoro mamy rozmawiać o interesach, proponuję pogadać przy kubku gorącego kakao.
Ekhem... Który z nas mówi?
Kwa! Zmieni nas w żaby.

Może wasz wujaszek zamierza uczcić 60-lecie pisma jakąś wystawą...

...i chce mi zaproponować wystawienie (odpłatne) mojego numeru jeden?
Ekhem... Niezupełnie.

Chociaż nie wiem, w jaki sposób odkrył, że to ja go mam.
Chrrr...
A może go buchniemy? Edgar śpi.

Nie! Magika nam ufa.
Masz rację. Tak nie można.

Ten komiks jest dla niej zbyt ważny.
Może zanieść mu jeden z tych fałszywych egzemplarzy...

...i liczyć, że
się nie zorientuje?
Kwa! To on!
DRRRYŃ

Grrr! Czemu
wyłączyliście komórkę?
Później ci
wyjaśnimy.

Przerwijcie poszukiwania.
Powiedziałem Rigatoniemu, że
wszystkie egzemplarze są fałszywe.

Uznał, że oryginał nie
istnieje, a cała ta historia
to bujda na resorach.

Dlatego teraz macie
inne zadanie.

Legendarny
komiksowy przepis
na pizzę all'anatra?
Wiesz, miliarderzy
mają swoje fisie. Często
zmieniają zdanie.

Tak. Teraz chce przepisu, który na początku ubiegłego wieku narysował neapolitański kucharz i malarz. Skoro już jesteśmy w ojczyźnie pizzy...

...możemy zacząć poszukiwania tutaj.

Słusznie, kuzynku. Poprosimy o pomoc naszego znajomego właściciela pizzerii z Gutenbergamo.
Racja.

Hej! Zapominacie o mojej mocy. Teraz ja chcę wam pomóc.

Ekhem... Jesteś pewna, że twoje czary zadziałają?
Tak. Od dzisiaj zawsze będę miała numer jeden przy sobie.
Tyle że w jeszcze mniejszym, magicznym formacie. Che, che!
KONIEC

WALT DISNEY

WUJEK SKNERUS

Autorzy widma

Scenariusz: Roberto Gagnor, rysunki: Maurizio Amendola

No już, nie marudź. I tak wiem, że często tu przychodzisz i czytasz „Jak się wzbogacić w pięć minut".
A ty kupujesz tylko łzawe romansidła dla kaczek. Ale tak naprawdę oboje przychodzimy tu...
SKROMNY JAK ZAWSZE – SAM O'CHWAŁA
TO JA NAPISAŁEM TĘ KSIĄŻKĘ!
...aby napić się czekolady.
Cha, cha, cha!
Autobiografia kierowcy wyścigowego Turba Burba.
„Następnym razem zwolnij".
NOWOŚCI

Najwyraźniej najnowsza moda to pisanie książek na temat własnego życia.
Moje wystarczyłoby najwyżej na ulotkę.
Zobacz! Taka fanka jak ty nie może tego odpuścić.
No, no! Wielki gwiazdor festiwali w Ren Samo.
BOBO KWAGLESIAS
JA PO PROSTU MAM TALENT

Opowiada o sobie... w pierwszej osobie.
Hmm... Niezupełnie.

Widzisz to nazwisko drobnym drukiem? Gość nie napisał tej książki sam. Pomógł mu „ghost writer".
Kto taki?
BOBO KWAGLESIAS

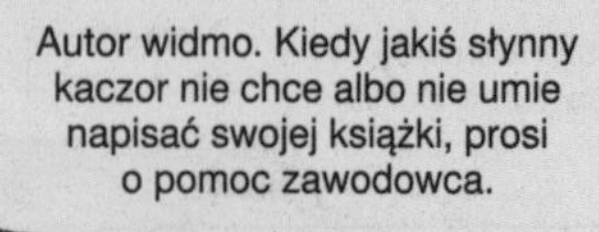
Autor widmo. Kiedy jakiś słynny kaczor nie chce albo nie umie napisać swojej książki, prosi o pomoc zawodowca.

To świetna praca! Moglibyśmy poznać wielu VIP-ów.
Pomyśl o dochodach.

Postanowiłam. Zostaniemy takimi pisarzami. Już wiem, z kim najpierw nawiążemy współpracę.
A jeśli zgadnę, dostanę jakąś nagrodę? Bo...

„...myślę, że wiem, o kim mówisz".
Nie! Nic z tego! Nie ma mowy!
$

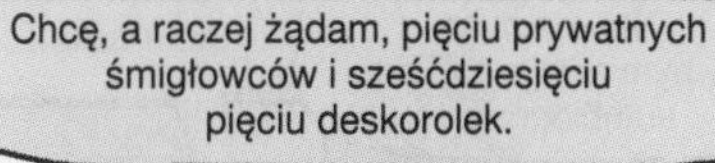
Chcę, a raczej żądam, pięciu prywatnych śmigłowców i sześćdziesięciu pięciu deskorolek.

Grrr! Za moich czasów w Klondike wystarczały sanie.

Rick Ryk, gwiazdor rocka.
W takim razie nie podpiszę kontraktu z McK Records.
A tego tutaj nie trzeba przedstawiać.
Phi! Nie tak trudno będzie znaleźć inną wielką gwiazdę.

Domagam się piętnastu willi nad morzem.
Litości...

Kwrrr! Mogę zapewnić najwyżej kawalerkę. Dosyć tych gwiazdorskich kaprysów!
Och!

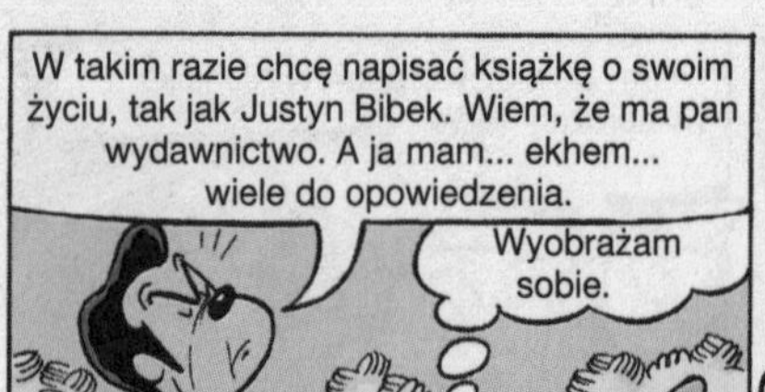
W takim razie chcę napisać książkę o swoim życiu, tak jak Justyn Bibek. Wiem, że ma pan wydawnictwo. A ja mam... ekhem... wiele do opowiedzenia.
Wyobrażam sobie.
$

Nie wiem, co bym miał zrobić z tą autobiografią i...
Sknerusku!

O nie! Dzisiaj mam już dosyć kłopotów.
Ale my przyszliśmy ci pomóc.
$

Pracujemy teraz jako autorzy. Chce pan mieć swoją książkę? Napiszemy ją.
S-super!
$

Postanowiłem! Opowiem o swoim życiu i twórczości od żłobka aż do jutra.
A ja to wydam...

...razem z pięcioma płytami zgodnie z nowym kontraktem.
Umowa stoi. Chytry z ciebie lis, kaczorze.
$

Mianuję
was oficjalnymi
biografami w moim
wydawnictwie.
Nie pożałujesz, mój
ukochany wydawco.

Huraaa!
To lepsze, niż płacić
za 75 deskorolek.
Che, che!

zatem następnego dnia...
To na jaki temat
porozmawiamy, Rick?
Na mój ulubiony...
czyli o mnie.

Od małego umiałem głośno
krzyczeć. Pewnego dnia
krzyknąłem na nauczycielkę
i odkryłem swój talent. Zaraz
potem wykrzyczałem swoją
pierwszą piosenkę, „Krzyki
i wrzaski", która...

Hmm... Rozdział
pierwszy... „Krzyczę".
Mocne.

Praca wre. Od trudnych
wspomnień...
Najtrudniejszy okres
w moim życiu? Szkoła
podstawowa. Te trzy dni na zawsze odcisnęły
na mnie swoje piętno.
Ziew! Ekhem...
Naprawdę?

...po sensacyjne wyznania.
No dobrze, to prawda... Uwielbiam operę! Buuu!
No już, spokojnie!

Sześćset stron chyba wystarczy, co?
No pewnie.

Mamy mnóstwo materiału do naszej pierwszej biografii. Zwijamy się.
Czekajcie! Przypomniałem sobie, jak raz w przedszkolu...

Kilka tygodni później...
Doskonale!
LEPIEJ ZATKAJ USZY! RICK RYK PRAWDZIWA HISTORIA
WSPÓŁPRACA: KACZENCJA & FILON

Tak, wykonaliśmy dobrą robotę. Ale czy ktoś zechce to czytać?
Mam nadzieję.
EGZEMPLARZE Z AUTOGRAFAMI AUTORÓW

Niech żyje Rick!
Jest taki przystojny!
BUDUDUBUM

O rany! Co za sukces!
Wszyscy lubią czytać historie swoich ulubieńców.
Rick to mój ukochany wokalista. Książka na pewno będzie świetna.
Dla mnie to najważniejsze dzieło literackie wszech czasów.
EGZEMPLARZE Z AUTOGRAFAMI AUTORÓW
Tyle egzemplarzy... i tyle pieniędzy dla nas!
To jeszcze nie koniec.
Skoro napisaliśmy bestseller, teraz każdy ważny kaczor w mieście będzie chciał z nami pracować.

Rzeczywiście...
Słuchamy, mistrzu, słuchamy.
Jak mówiłem... uff... jeśli przepłynę w ciągu dnia mniej niż 500 kilometrów, źle później śpię...
WIOSŁUJ, AŻ CI PRZEJDZIE
JIM PAGAY

Tak naprawdę jestem łagodny i wrażliwy.
N-nie wątpię.
ŁUP
CUP
PIĘŚCIĄ I KOPEM JEAN CLAUDE VAN KWAK
REŻYSER
To był istny szok, kiedy zostawiłam swój ulubiony kapelusz w prywatnym samolocie. Już nigdy nie znalazłam podobnego.
Wyobrażam sobie... Uff!
CO ZA DUŻO, TO ZDROWO HRABINA DE MAMONI
I wtedy zacząłem zbierać porzeczki. Najpierw jedną... potem drugą... i trzecią... później jeszcze jedną... i następną...
Co za akcja. Zieeew!
WSZYSTKIE MOJE ZIEWNIĘCIA HISTORIA POLIKARPA MOPSA – NAJWIĘKSZEGO NUDZIARZA NA ŚWIECIE
Chr!

Stać! Uspokójcie się. Po kolei.
KM
KLUB MILIARDERÓW

Kaczencja i Filon chętnie napiszą wasze biografie.

Oczywiście za sowitą opłatą.
Najpierw ja! Jestem królem korniszonów.
Nie, bo ja!
Phi!

Zżera cię zazdrość, co?
E tam. Nie obchodzą mnie te wydawnicze bzdury.

Oddalę się, ostentacyjnie okazując wyższość.
Hmm...

Śmiej się, centusiu. I tak mam już plan.
MILIARDERÓW

Zajmę się tą dwójką gryzipiórków.
BUK-KWA

A, to wy. Moi przyszli przepłacani autorzy.
My? Pracujemy już dla Sknerusa.

Właśnie. A teraz przepraszamy, ale podpisujemy biografię Filipa Nervusa, najbardziej antypatycznej osoby świata.
Jaka paskudna fryzura!

Nawet gdybym was poprosił o napisanie mojej biografii?
Możemy porozmawiać.
!

Ta książka chyba bardziej do ciebie pasuje, drobny cwaniaczku.
Jauć!
PRASK
ŻÓŁTO-DZIOBY NA PRZE-STRZENI DZIEJÓW

Rozumiesz coś z tego?
Ekhem... Mogę prosić o inny zestaw pytań?

Kaczencja i Filon pracują wyłącznie dla mnie.
A kto mi zabroni ich podkupić? Mamy wolny rynek!

Stać! Jesteśmy wolnymi strzelcami i pracujemy, dla kogo chcemy.
Widzisz?

A-ale... nie możecie! Akurat teraz, kiedy postanowiłem wydać swoją... eee... biografię...
Oooch!

Jak znam Kaczencję, dam głowę, że się zgadza...
To będzie długa i żmudna praca. Musimy spędzić razem wiele czasu.

Ojć! Dopiero teraz dotarły do mnie pewne... niepokojące implikacje...
Grrr! Zobaczymy! To jeszcze nie jest ostatnia strona.

A zatem...
Kwrrr! Uff! Puff!
Dziób do góry, Sknerusku. Jeśli chcemy dokładnie opowiedzieć twoje życie, nie możemy odstępować cię nawet na krok.
Rzetelność i wierność prawdzie to nasza dewiza.

Rzetelność? Chyba raczej wścibstwo!

Pomyśl o zyskach.
Tylko dlatego, że o nich myślę, jeszcze nie wylecieliście stąd na kopach.

No to wracajmy do roboty. Rozmawialiśmy o Klondike.
Ach, piękne czasy. Pamiętam te niedźwiedzie...

Sknerusku, ty tak zajmująco opowiadasz!
Aż tęsknię... za tymi niedźwiedziami.

Poszukiwania trwają...
Rozdział 12. „Moje sekrety biznesowe".
Zajmijcie się swoimi sprawami. Grrr!

Owszem, ma charakterek, ale to w końcu mój szef i...
Ekhem... Ciszej, Harpagonie...

...i tak zdobyłem pasiasty rubin.
Świetnie. Możemy przejść do...

...rozdziału 22. „Plany matrymonialne".
Kwa!

Wynocha stąd!
Che, che! Trzeba zakasać rękawy...

...i napisać następny bestseller.
„SKNERUS McKWACZ" WYDRUKOWANO NA PAPIERZE Z ODZYSKU

Jesteś pewna co do tytułu?
Sam go wybrał. Zawsze cenił prostotę.
Do licha!

Złe wieści, szefie. Książka gotowa.
W takim razie zaczynamy operację „Blizna".

Ziew! Jutro oddamy tekst i... hę?
DRRRYŃ

Halo?
Idę zaparzyć następną kawę.

Dzień dobry. Dzwonię z sieci Grey. Proponuję nową wspaniałą taryfę telefoniczną „Pogaduchy do poduchy".
?

Nie jestem zainteresowana.
Che, che! Szef świetnie wypełnia swoją rolę.

Mam mnóstwo czasu, żeby podłączyć to elektroniczne cacko.
MIKROCHIP Z WIRUSEM

Proszę, przyniosłem ci kawę. Kto dzwonił?
Znowu jakiś telemarketing.
HOP

Ojej! Wiatr otworzył okno. To mi o czymś przypomniało...
Au!

Pora włączyć zraszacze w ogrodzie.
Aaa!
PRYSK

Jestem cały przemoczony, ale udało się, szefie.
Dobra robota.
KACZENCJA

Już odbieram plik Kaczencji dzięki zainstalowanemu przez ciebie koniowi trojańskiemu*.
* Koń trojański – program, który umożliwia dostęp do cudzego komputera.

Oto i tekst. Zmienię go po swojemu... i będzie niezły ubaw.

Z biografii zrobi się farsa. Chi, chi, chi!

Następnego dnia...
Zobaczysz, Sknerus będzie zachwycony naszym arcydziełem.
Mam nadzieję.
ANI KROKU DALEJ!

A kuku! Witaj, Sknerusku!
O, już jesteście?
PIENIĄDZE NIE ŚMIERDZĄ!

Drukarnia dostała już wasz tekst. Drukują pierwszy milion egzemplarzy.
?!

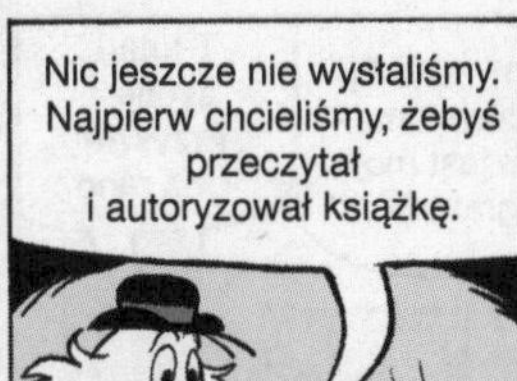
Nic jeszcze nie wysłaliśmy. Najpierw chcieliśmy, żebyś przeczytał i autoryzował książkę.

?!

Coooooo?!

Harpagonie, limuzyna! Jedziemy do drukarni McK. Nie rozumiem, co się stało...

...ale coś mi mówi, że zbliża się katastrofa.

„Gaz do dechy!”.
No proszę. Jaka wielka drukarnia.
Piękny kombinat, co? I supernowoczesny. Tutaj drukuję wszystkie książki i czasopisma, od „Nowej gęsi” po „Kurę domową”.
McK
DRUKARNIA

Możecie mi wyjaśnić, co się tu dzieje?
Ekhem... Mieliśmy właśnie drukować „Tysiąc potraw z bakłażana".

Dajmy spokój warzywom. Gdzie jest moja biografia?
T-tutaj, szefie. Przyszła dziś rano.

Hmm... Popatrzmy... „Rozdział pierwszy: jak w dzieciństwie zostałem kutwą"...

„Centusie górą"... „Moje największe wpadki"... Nie wierzę własnym oczom! Ta książka to stek bzdur.

„Mam hopla z przerzutką i jestem z tego dumny"? Kto to napisał?
N-nic nie rozumiem...

Grrr! Jak śmieliście zrobić kabaret z mojego życia?
Aaach! Nie! Stój!

My tego nie napisaliśmy.
Ktoś musiał podmienić tekst.

W takim razie drukujemy miliony książek... na próżno. Zatrzymać maszyny!
Nie da się. To zautomatyzowany system i...
MASZYNY

Ja się tym zajmę! Tu chodzi o moją reputację!
Nieee!

Ojej! Co za impet.
Taki już jego urok. Ach!
TRACH
BAM
GRUCH
FRUSZ

Sknerusku, opanuj się.
Nie mogę. Maszyna wydrukowała właśnie tysiące egzemplarzy...

...które niestety w tej chwili jadą już do księgarń.
Kwa!

Stójcie! Czekajcie!
Wracajcie tutaj!
Za późno!
DRUKARNIA
McK
McK

Teraz wszyscy to przeczytają... To katastrofa dla mojego wizerunku.
No ale zawsze jakaś reklama, nie?
Gdzie jest pan McKwacz?
Zaraz przyjdzie. Właśnie... ekhem... dyskutuje z Filonem.

A zatem...
Och! Nie do wiary. Nie widziałem takich kolejek od czasu ostatniej książki o Garym Putterze, czarodzieju golfa.
Nic dziwnego. Wszyscy chcą się ze mnie pośmiać. Chlip!
BUK-KWA
KSIĄŻKA ROKU! SKNERUS McKWACZ (O SOBIE SAMYM DO POTOMNOŚCI)

Po tylu latach pracy i wysiłku...
wystarczy parę linijek, żebym
stał się pośmiewiskiem.

Dobra książka, stary centusiu.
Świetnie się bawiłem,
kiedy ją przerabiałem.
Ty!

Chlip! My też zostaliśmy
bez pracy.
Po takiej akcji nie
mamy co liczyć
na kolejne
biografie VIP-ów.
KOP
BACH
BĘC

Cha, cha, cha!
Słyszysz, jak się
z nas śmieją? Ech!

Hej! Przecież to...
pan McKwacz.
Zgadza się. Chcesz się
ze mnie nabijać?

Nie. Chcę panu
pogratulować.
?!?

Nie sądziłem, że takiego bogacza stać na tyle autoironii.

Właśnie. Nareszcie jakiś sławny kaczor, który nie podchodzi do siebie zbyt poważnie.
Ekhem...

Opowiemy o tym wszystkim kolegom.
Bardzo pan miły. Do zobaczenia!
Ej, patrzcie! To on!

Panie McKwacz, jest pan super!
Niesamowite. Napisaliśmy zabawny bestseller.

I to w dodatku bezwiednie. Che, che!
Wejdźmy. Naszym fanom należy się parę autografów.

Jeśli chcesz, mogę napisać dedykację i tobie. Może „dla mojego ulubionego żółtodzioba"?
Kwarak! Nie wierzę!

A zatem wszystko dobrze się kończy. Pośród sukcesów...
BUK-KWA
SKNERUS McKWACZ
AUTOBIOGRAFIA KOMICZNA
WYDANIE 25! MILIONY SPRZEDANYCH EGZEMPLARZY!
...i niespodziewanych (no, powiedzmy) dochodów...
Dwadzieścia dolarów? Żartuje pan!
Nigdy nie żartuję, gdy chodzi o pieniądze.
...rodzą się talenty literackie...
„Słowa, które śmieszą"...
Biografia Kaczencji i Filona. Che, che!
...i to w różnych miejscach.
Jest pan pewien, szefie?
Grrr! Jasne. Skoro on napisał książkę, to ja też mogę. „Tysiąc zjedzonych meloników", rozdział pierwszy...
KONIEC

KACZOR DONALD

Scenariusz: Michael T. Gilbert, rysunki: Flemming Andersen

Dziwnie się dziś czuję. To pewnie przez ten sernik wieczorem.
Kwa! To jest dopiero niezwykłe.
Cześć, wujku! Zobacz nasze nowe trampki.
Są wyczesane!
Później...
Wymyślili już buty, w których można skakać na dwa metry w górę?
Aaaaaa!
Hę? Daisy?
Daisy! Dobrze się czujesz?
Czy dobrze?
Lepiej niż dobrze. W ciągu doby zrzuciłam 8 kilo. To pewnie zasługa nowej diety marchewkowej.
Masz, spróbuj.
Błe! Podziękuję. Daj mi znać, jak przejdziesz na dietę ciastową.
Grrr!

Poza tym miałem się spotkać z Diodakiem i już jestem spóźniony.
Na razie, postaw wodę na gazie!
Wkrótce...
Czołem, Diodaku.
Donald! Przyszedłeś w samą porę. Pomóż mi znaleźć części do kompresora molekularnego.
Do czego?
To urządzenie ściska cząstki. Sknerus ciągle się martwi, że Bracia Be włamią mu się do skarbca.
Jak skompresuję cząstki budowli, będzie nie do ruszenia.
DIODAK WYNALAZKI DLA LUDNOŚCI
A zatem...
A nie sprzedają tego w sklepach?
Owszem, ale Sknerus dał mi na części 7 dolarów i 33 centy. Stać mnie tylko na złom.
PROMOCJA – KOWADŁA!

Wygląda na to, że wcale nie potrzebowałem twojej pomocy. Te części są lżejsze, niż myślałem.
Pewnie, że lżejsze. Może nie zauważyłeś, ale wszystko jest lżejsze.
Ojej! Faktycznie nie zauważyłem. Byłem zbyt zajęty.
931

Muszę to zbadać... jak już skończę maszynę dla Sknerusa.
Jak chcesz. Spotkamy się później.

Kwa! Kto to widział? Prawie latam.
Co jest grane?

Hmm... Mogę zajrzeć do wujka Sknerusa i powiedzieć mu, jak się miewa jego ustrojstwo.
$
Wujku! Juhuuu!
Tutaj, mój drogi!
Hę?
Ha! Nie ma to jak żonglerka sztabkami złota na pobudzenie krążenia.
Kwa! Czy te sztabki nie są ciężkie?
Jeszcze jak. Do dzisiaj ledwie mogłem je unieść.
Zdaje się, że moja nowa dieta marchewkowa zaczyna przynosić efekty.
Tak...
BACH
BACH

Albo twoje złoto staje się lżejsze.
Ech! Dzięki za wsparcie. Co słychać?

Jutro wypróbujemy z Diodakiem twoje molekularne ustrojstwo.
Świetnie.

Ostatnio kręci się tu sporo podejrzanych typów.
Nie martw się.

Jak Diodak skończy, twój skarbiec będzie w stu procentach zabezpieczony przed Braćmi Be. Satysfakcja gwarantowana.
Ech! Zobaczymy.
Później...
Co ja czuję? Czyżby Daisy upiekła szarlotkę z rabarbarem?

Tak! Tak!
Co to za okazja, Daisy?
Zrzuciłam kolejne 8 kilo dzięki diecie marchewkowej... więc piekę ciasta, żeby to uczcić.
Jedno zachowałam dla ciebie i chłopców. Nie zjedz całego sam.
Ranisz mnie.
Na razie, Daisy.
Tego wieczoru...
Ciocia Daisy piecze świetne ciasta.
Ciasta! Ciasta! Tylko to wam w głowie, łakomczuchy.
A teraz marsz do łóżek. Jutro mam pomóc Diodakowi, więc muszę się wyspać.
Następnego ranka...
Aaach! Nie mogę się doczekać. To będzie ciekawy dzień.
TRACH
Jau!

Uch! Zdaje się, że ciekawy aż do przesady.
Nic dziwnego. Jestem znacznie lżejszy niż wczoraj. Niech no powiem Daisy...
Cześć, Daisy. Zgadnij, kto schudł 20 kilo na nowej diecie ciastowej...
Wujku?
Cześć, chłopcy. Zobaczcie, jak robię pompki na jednym palcu.
Super. Ale lepiej złap naleśnika, zanim wszystkie odfruną.
Wydają się lżejsze od powietrza.
Wybaczcie, chłopcy. Nie mam czasu na bzdety. Nauka czeka.

Wkrótce...
DIODAK WYNALAZKI NA POCZEKANIU
Cześć! Zaraz zacznę test kompresora molekularnego. Musisz go wycelować.
Super!

Kiedy powiem „ognia”, strzel w tę metalową płytę.
Nacisnąć guzik? To fucha w sam raz dla mnie. Jak to działa?

To proste. Wszystko składa się z cząstek, utrzymywanych razem przez oddziaływania magnetyczne.
Przypomina to wzajemne przyciąganie ciał niebieskich w pustej przestrzeni.

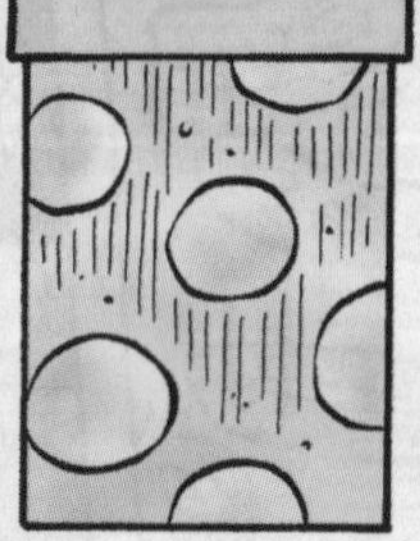
„Każda materia nawet skała, też ma mnóstwo pustej przestrzeni między cząstkami”.

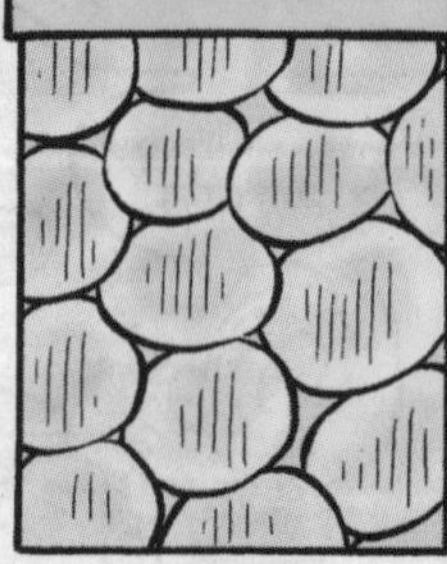
„Moje urządzenie bardziej ściska cząstki, dzięki czemu przedmioty stają się niezniszczalne”.

Oczywiście, jeszcze go nie wypróbowałem. Dlatego tu jesteś.
Gotowy...
Cel...

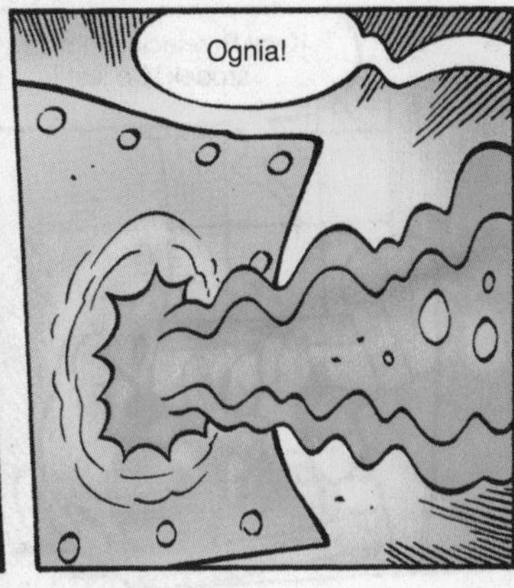
Ognia!

W porządku. A teraz wyłącz maszynę... bo wybuchnie.
Hmm... Kolor się zmienił...
PSTRYK

...ale metal nie wydaje się mocniejszy.
Oj tam. Masz. Sam się przekonaj.

Dobra. Ryzyk...
...fizyk?
SZUUU

Kwa! Przeleciałem przez środek. Co jest?
Masz ci los! Zamiast się ścisnąć, cząstki oddaliły się od siebie.
Mów po kaczemu, geniuszu.
Między molekułami jest teraz tyle miejsca, że ciała stałe mogą przechodzić przez metal... jak przez powietrze.
Tak? To ekstra!
KLANG
Jau!
Jau!
Jau!
Jau!
Hmm...

Efekty są krótkotrwałe. Dlatego płyta znowu zrobiła się twarda.
PŁIK PŁIK
Co za genialne spostrzeżenie, detektywie.
Później...
Rety! Metal, którego nie da się dotknąć. Teraz widziałem już wszystko.
Kwa! A może nie?
DIODAK WYNALAZKI OCZEKANIU
Mućka! Przestań skakać i daj się wydoić.
Do licha! Co wstąpiło w tę krowę? Skacze jak gumowa piłka.
Rety! Grawitacja zwariowała, babciu.
Mam nadzieję, że szybko jej przejdzie. Potrzebuję śmietanki do kawy.
?

Tej nocy...
Ach!
Nareszcie spokój.
TRACH
!
Co znowu? Kwa! Mój kubeł
na śmieci odlatuje.
Ha! Mam cię,
blaszany łobuzie.
Aaa!
!?

Dwa księżyce? Teraz to już mam halucynacje.
Wrócę szybko do łóżka, a jak się obudzę...

...wszystko wróci do normy.

Nie licz na to, Donaldzie. Następnego dnia...
Wujku! Obudź się! Telefon.
Jau!
O nie! Znowu.

Ech! Ta grawitacja mnie dobija.
Halo? Diodak? O co chodzi?
Donald? Możemy się spotkać w skarbcu Sknerusa? Chcę, żebyś mi pomógł w kolejnych testach maszyny.

Najnowsze wiadomości! Naukowcy donoszą, że tajemnicza planeta zmierza w stronę Ziemi.
Co?

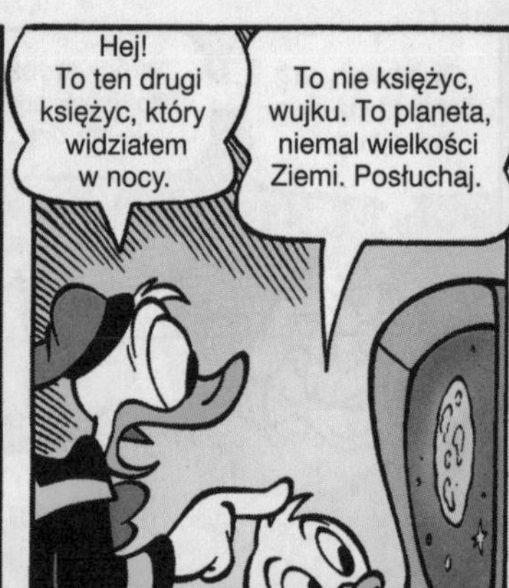
Hej! To ten drugi księżyc, który widziałem w nocy.
To nie księżyc, wujku. To planeta, niemal wielkości Ziemi. Posłuchaj.

Planeta X wypadła w jakiś sposób z orbity i teraz leci w naszym kierunku.
Jeszcze nie wiemy, co z tego wyniknie, ale im będzie bliżej tym większe będzie jej oddziaływanie grawitacyjne na Ziemię.

Spokojnie. To tylko oznacza, że wszystko zrobi się lżejsze.
Bez wątpienia.
Uff! Przynajmniej nie miałem halucynacji.
A teraz muszę się pospieszyć. Mam spotkanie z wujkiem Sknerusem, a on nie lubi...

„...czekać”.
Starszy asystent laboratoryjny Kaczor Donald melduje się do służby.
No, nareszcie się pojawiłeś.
Myślę, że już usunąłem wszystkie wady sprzętu... więc pomyślałem, że przetestuję go na skarbcu.
Jesteś pewien, że to rozsądne?
Kiedy próbowałeś ostatnim razem, metal tak się zmienił, że każdy mógł przez niego przejść.
?
?
?
Spokojna głowa. Zmodyfikowałem parametry. Teraz będzie działać jak ta lala.
Dobra. Ty tu rządzisz. Ryzyk...
MMMMMM

...fizyk!
Doskonale. Cząstki metalu powinny być już w pełni skompresowane.
Pamiętaj o wyłączeniu maszyny, Donaldzie.
Wcale nie wygląda na twardszy.
Masz. Sam spróbuj. Nawet mój świder atomowy nie uszkodzi tej ściany.
O raju! Wreszcie mam skarbiec, do którego Bracia Be się nie włamią.
Hej!
!
Kwa! J-jakby t-tej ściany w ogóle n-nie b-było!

Nie do wiary! Sknerus przeleciał przez ścianę.
Ha! Czujesz zapach złota?
Też mi wynalazek! Zepsułeś mi skarbiec. Teraz każdy głupi może wejść i okraść mnie w biały dzień. Zmień go z powrotem!
Eee... Przepraszam. Widocznie cząsteczki znowu się rozszerzyły. Jeszcze nie umiem odwrócić tego procesu...
...ale bez obaw. Ten efekt trwa tylko parę minut. Twoim pieniądzom nic nie grozi.
Och! Nie mów tego jemu...
Powiedz im!
Ha! Najlżejsze złoto, jakie w życiu ukradłem.

To wszystko twoja wina. Zrób coś!
Ojć! Ale co?
Uch! Ściana znowu stwardniała. Złapała mnie za koszulę!
Hej! Stracił przytomność.
LUP
Ale fart! Jeden z głowy, zostało dwóch.
Ha! Chciałeś powiedzieć: jeden z głowy...
...nie został nikt!
BACH

Ha! Nie znałem własnej siły.
Chlip! Moja biedna maszyna. Zupełnie zniszczona!
Zniszczona?
Masz szczęście, że ciebie nie zniszczyłem. Zwalniam was! Obu!
Au!
Au!
Ech! Nie cierpię sprawiać zawodu Sknerusowi.
Kaczę! Rzucił twoją machiną, jakby była lekka jak piórko.
Grawitacja znika szybciej niż ciasto Daisy.
Wszystko przez ten dodatkowy księżyc, który widziałem. Tak przynajmniej mówili w telewizji...

Dodatkowy księżyc? Dziwne. Muszę się temu przyjrzeć.
Zrób to. Ja mam spotkanie z ciastem... a ono nie lubi...
„...czekać”.
Mniam! Ciasto bananowo--jagodowe. Co to za okazja?
Znowu zrzuciłam 8 kilo dzięki diecie marchewkowej.
Przy tej nowej grawitacji mogę jeść, ile chcę... i nie tyję nawet o gram.

To wspaniałe zjawisko...
Eee... Daisy, zobacz!

...chociaż też trochę straszne.

Tego wieczoru...
Wujku! Czemu przybijasz poduszkę do sufitu?
Dla własnego bezpieczeństwa.
Walenie głową w sufit każdego dnia to bardzo bolesny nawyk.
Następnego ranka...
Ach! Jak przyjemnie. Czuję się, jakbym spał wśród chmur.
Aaa!
Chłopcy! Chłopcy! Nigdy nie uwierzycie...
O co chodzi, wujku?
Kwa!

Grawitacja oszalała do reszty.
Świat staje na głowie.

Oj, tylko się wygłupiamy. Też obudziliśmy się w powietrzu. A potem przykleiliśmy stół do sufitu gumą do żucia.

Siła ciążenia to nie żart, dowcipnisie. Powinienem... hę?
DRRRYŃ
Halo? Diodak? Co tam?
Donaldzie, badałem tę nową planetę i odkryłem coś strasznego. Przyjedź tu, szybko!

Uff! Latanie jest trudniejsze, niż myślałem. Dobrze, że znalazłem te wachlarze.

Powiedz, kiedy grawitacja wróci do normy?
Nie wróci. Zniknie do reszty.
Co? I wszyscy polecimy w kosmos?
Ha! To nam nie grozi.
Uff!
Zanim do tego dojdzie, nic z nas nie zostanie. Planeta X nie minie Ziemi, tylko uderzy w nią jutro.
Co?
Chodź! Musimy wszystkich ostrzec.
Nie! Tylko ich przestraszysz. A nikt nic nie może zrobić. Nawet ja.
Widzisz, zabrakło mi pomysłów...

Nie! Tak nie można! Jesteś konstruktorem. Możesz zbudować olbrzymią packę i ją... pacnąć.
Przesunięcie całej planety jest trudniejsze, niż by się mogło wydawać.
24 godziny to niewiele czasu. Ale spróbuję. Dzięki za pomysł.
Ja... pójdę już do domu...
Później...
Lekcje? Zapomnijcie o nich. To coś znacznie ważniejszego.
? ? ?
KWAS CHLEBOWY
Tej nocy...
Ach! Tak spokojnie śpią...
CHRRR
Będzie mi ich brakowało.

Znam jeszcze kogoś, za kim zatęsknię...
Halo, Daisy?
Wkrótce...
Piknik o północy? Co za wspaniały pomysł, Donaldzie!

A te dwa księżyce wyglądają tak romantycznie... Ach!
Tak, romantycznie...

Proszę. Zapakuję ci kawałek ciasta na jutro.
Jutro?

Kwa! Lepiej zjem je od razu...
?

Następnego ranka...
Najnowsze wiadomości! Naukowcy obliczyli kurs planety X.
O nie...
Ha! Spokojnie, proszę państwa. Minie Ziemię o 300 kilometrów.
Bez wątpienia.
Juhuuu! Diodak się pomylił! Ale lepiej to sprawdzę. Dla pewności.
A zatem...
Tak, panie Donaldzie. Sprawdzaliśmy te obliczenia trzy razy. Proszę, niech pan sam zobaczy.
Nie jestem fizykiem...
INSTYTUT GLENDZIONA
...ale zdaje się, że 2+2 to 4. A wy napisaliście 5.
Rety! Ma rację!
2+2=5
Aaa! Już po nas!

Akurat teraz muszę mieć rację pierwszy raz w życiu?
Wkrótce...
Cześć, wujaszku. Chciałem się tylko pożeg...
Żadnych „cześć", mój drogi.
Wynieś gdzieś to badziewie Diodaka, ale już!
Po co komu maszyna...
...dzięki której można przenikać przez ciała stałe.
Wujku! Mam ochotę cmoknąć cię w policzek!
I zrobię to!
Błeee!
CMOK

Przykro mi, Donaldzie. Nie ma sposobu, żeby w parę godzin przemieścić cały świat.
Nie zajmuj się tym. Powiedz, na jak duże obiekty działa twoje ustrojstwo molekularne?
Hę? Teoretycznie nie ma limitu. Funkcjonuje na zasadzie replikacji fal energii i...
Daruj mi te naukowe gadki. Czy sprawdzi się na czymś tak dużym jak...
...to?
Chodzi ci o zmianę struktury molekularnej planety X, żeby przeniknęła przez Ziemię?

No tak! To mogłoby się udać. Ale moja maszyna to wrak... a zostało tylko parę godzin.
No to do roboty!
Później...
Dodatek nadzwyczajny! Kaczogród skazany na zagładę!
KWACZY KURIER
WIELKIE BUM!
„Nie zwlekajcie z ciastem" — radzą uczeni.
Za mną! Lecimy do Diodaka. Już on coś wymyśli, żeby uratować mój skarbiec.
I wszystko inne też, prawda?

Ale...
Co? Marnujesz czas na naprawę tego złomu? Zwariowałeś?
Mój kompre... ekhem... dekompresor molekularny to nie złom. To nasza jedyna nadzieja.
Oczywiście, muszę go jeszcze przetestować.
Żartujesz? Zostały tylko minuty do...
Kwa! Co się dzieje?
Tego się obawiałem.
Planeta X jest już tak blisko, że jej grawitacja wszystko przyciąga. Szybko, Donaldzie! Ognia!
Ognia?

Kręcę się tak szybko, że nie wiem, gdzie góra, a gdzie dół.
Zgaduj!
Dobra! Ryzyk... fizyk!
Trafiona!
Hej! Co jest grane? Teraz opadamy.
Planeta X traci gęstość, więc siła przyciągania maleje.

Uff! Właśnie przechodzi przez Ziemię. Jesteśmy bezpieczni!
Tak. Chyba że...

Chyba że co, mądralo?
Wiesz, skutki działania urządzenia trwają tylko parę minut.

Jeśli planeta X stwardnieje jeszcze we wnętrzu Ziemi, to...

BUUUM

Ekhem! Donaldzie...
Pamiętałeś, żeby wyłączyć maszynę?
Yyy...

Patrzcie! Poleciała!
Huraaa! Juhuuu!

Przynajmniej pieniądze, które wydałem na tę maszynkę, nie poszły w błoto.
Och! Trochę kręci mi się w głowie.
To normalne po zerowej grawitacji. Jutro wszystko wróci do normy.

Następnego dnia...
Jaki piękny poranek.
Aż się chce wyskoczyć z...

...łóżka?

Lepiej się nie przemęczaj, wujku.
Właśnie. Po tygodniu bez grawitacji twoje mięśnie zmieniły się w gąbkę.
Uuuch...

Mniam! Nic się nie bójcie.
Wiem, co postawi mnie na płetwy.

Ale...
Ciasto? Nic z tego!
Wszystkie zrzucone kilogramy wróciły... i to z górką.
Przechodzimy na dietę, łakomczuchu.
Ech! Ma ktoś ochotę na marcheweczkę?
CHRUP

KONIEC

W serii „Gigant poleca" ukazały się:

Tom I „Jazda bez trzymanki"
Tom II „Gwiezdny patrol"
Tom III „Co dwie dychy, to nie jedna"
Tom IV „Awantura o sobowtóra"
Tom V „Szpiedzy tacy jak oni"
Tom VI „Gromy gniewu"
Tom VII „Zbieg ma krótkie nogi"
Tom VIII „Sława nie zabawa"
Tom IX „Wyprawa za dychę"
Tom X „W piątek trzynastego"
Tom XI „Odwrót mumii"
Tom XII „Kaczory na opak"
Tom XIII „Tu się zgina miecz ronina"
Tom XIV „Ślad wielkiej płetwy"
Tom XV „Historia pewnej znajomości"
Tom XVI „Kosmiczna draka"
Tom XVII „Planeta gadów"
Tom XVIII „Piłka w grze"
Tom XIX „Książę złodziei"
Tom XX „Wyścig gigantów"
Tom XXI „Koncert życzeń"
Tom XXII „Tajemnicza wyspa"
Tom XXIII „Klątwa przodków"
Tom XXIV „Donald zawodowiec"
Tom XXV „Grunt to zdrowie"
Tom XXVI „Instruktor destruktor"
Tom XXVII „Potwór z głębin"
Tom XXVIII „A szczury runą"
Tom XXIX „Pogromcy potworów"
Tom XXX „Płać i płacz"
Tom XXXI „Jak kaczka w wodzie"
Tom XXXII „Konflikt pokoleń"
Tom XXXIII „Uwaga, zły kaczor!"
Tom XXXIV „Strachy na lachy"
Tom XXXV „Chuda klata pirata"
Tom XXXVI „Władca sygnetów"
Tom XXXVII „Wielki Mur pełen dziur"
Tom XXXVIII „Sztukmistrz z Kaczogrodu"
Tom XXXIX „Mistrz obiektywu"
Tom XL „Zrób to sam"
Tom XLI „Fajna fucha"
Tom XLII „Jak kamień w wodę"
Tom XLIII „Wycieczki nie z tej beczki"
Tom XLIV „Wodorostowy świat"
Tom XLV „Praktyka ratownika"
Tom XLVI „Czego oczy nie widzą"
Tom XLVII „Totalna hipnoza"
Tom XLVIII „Ptasie ploty"
Tom XLIX „Zamydlona autostrada"
Tom L „Asy wywiadu"
Tom LI „Polowanie na śniadanie"
Tom LII „Awantura i partytura"
Tom LIII „Wielka pobudka"
Tom LIV „Gwiezdne boje"
Tom LV „Z bezpiecznikiem bezpieczniej"
Tom LVI „Gardłowa sprawa"
Tom LVII „Bohater z rezerwy"
Tom LVIII „Wejście smoka"
Tom LIX „Mroczny dwór"
Tom LX „Heros kontra złodziej"
Tom LXI „Popisowy numer"
Tom LXII „Reforma podatkowa"
Tom LXIII „Wielka blaga"
Tom LXIV „Niewolnicy mody"
Tom LXV „Bliźniacze miasta"
Tom LXVI „Czary i moczary"
Tom LXVII „Nieziemska rozgrywka"
Tom LXVIII „Przygoda za dychę"
Tom LXIX „Poza światem"
Tom LXX „Mistrz kierownicy wraca"
Tom LXXI „Duchowa odnowa"
Tom LXXII „W samo popołudnie"
Tom LXXIII „Między młotem a kowadłem"
Tom LXXIV „Piekielny spadek"
Tom LXXV „Liczą się intencje"
Tom LXXVI „Pożegnanie z bryką"
Tom LXXVII „Mroki średniowiecza"
Tom LXXVIII „W szponach ptakomonów"
Tom LXXIX „Przystanek Alaska"
Tom LXXX „Mój brat kaczor"
Tom LXXXI „Prawie rodzinna rozrywka"
Tom LXXXII „Ratuj ratownika"
Tom LXXXIII „Windą na Seszele"
Tom LXXXIV „Sprzedawanie na ekranie"
Tom LXXXV „Król Pieluch I"
Tom LXXXVI „Zarobiony bez pamięci"
Tom LXXXVII „Stara kopara"
Tom LXXXVIII „Edukacja–wariacja"
Tom LXXXIX „Witajcie w Sknerolandii!"
Tom XC „Krótkie spięcie"
Tom XCI „Siostro, basen!"
Tom XCII „Donald i kamień filozoficzny"
Tom XCIII „Ale akcja!"

Tom XCIV „Kaczogrodzka krucjata"
Tom XCV „Gdyby kaczka nie skakała"
Tom XCVI „Panie szofer, gazu!"
Tom XCVII „W pogoni za dychą"
Tom XCVIII „Biało-czarny dzień"
Tom XCIX „Poślubiony mafii"
Tom C „Setny numer"
Tom CI „Spisek niedoskonały"
Tom CII „Donald na prezydenta!"
Tom CIII „Skowyt i kiełbasa"
Tom CIV „Muhammad ze stali"
Tom CV „Slumduck milioner"
Tom CVI „Miękkie lądowanie"
Tom CVII „Ucieczka w tropiki"
Tom CVIII „Pan prezes SEDES"
Tom CIX „Uwierz w potwora"
Tom CX „Licencja na przygrywanie"
Tom CXI „Reakcje na akcje"
Tom CXII „Złodziej z żelaza"
Tom CXIII „Między nami Mikołajami"
Tom CXIV „Szybki i wściekły"
Tom CXV „Milion w rozumie"
Tom CXVI „Przytul misia"
Tom CXVII „Operacja Kaczor"
Tom CXVIII „Atak skrzatów"
Tom CXIX „Donald, gola!"
Tom CXX „Wakacje za jeden uśmiech"
Tom CXXI „Zemsta wielkiej frytki"
Tom CXXII „Kwakula
Książę Śmieszności"
Tom CXXIII „Kaczor nożycoręki"
Tom CXXIV „Udręka Superkwęka"
Tom CXXV „Gwiezdny płyn"
Tom CXXVI „Zima trzyma"
Tom CXXVII „Wirująca kaczka"
Tom CXXVIII „Drużyna K"
Tom CXXIX „Zabójczy duet"
Tom CXXX „O jeden dach za daleko"
Tom CXXXI „Klątwa Białej Mewy"
Tom CXXXII „Odlot do przeszłości"
Tom CXXXIII „Niewiarygodne
przygody Kaczora Donalda"
Tom CXXXIV „Wakacje z kaczkami"
Tom CXXXV „Pora na Terminatora"
Tom CXXXVI „Skąpy i skąpszy"
Tom CXXXVII „Ostatnie tango w Berlinie"
Tom CXXXVIII „Złodziejski poker"